GEORGE SAIKO

DER OPFERBLOCK

GEORGE SAIKO

Der Opferblock

HANS DEUTSCH VERLAG
WIEN—STUTTGART—BASEL

Umschlagzeichnung von Hilda Polsterer

DIE KLAUEN DES DOPPELADLERS

I

In der Erinnerung ...
aber schon das war falsch; denn es gab keine Erinnerung, nach dreiunddreißig Jahren haben die Ereignisse nur noch den Aussagewert hundertprozen-
tiger Selbstbestätigung, die nicht einmal mehr als
Beschönigung empfunden wird. Höchstens daß die
Landschaft, die Farben, in denen sich alles abspielte ... aber auch die schienen nicht verläßlich,
wahrscheinlich daß dieser Karst ... wo er am un-
fruchtbarsten war, schimmerte er mit einem trockenen Brennen in den Augen — nicht anders als die
Unterseite einer Seeschwalbe und die unvorstellbar
zerfurchten Hänge herab wurde er brauner, glänzte
stumpf; nicht die winzigste glatte Oberfläche, sie
sah mindestens aus wie nach den Schnabelhieben
eines Raubvogels.

Und weil der Mensch eine Laus ist, gab es auch
hier Bauern, ein kleiner bösartig-harter, dunkel ge-
beizter Schlag, Knochen, Sehnen, eine viel zu weite
Haut in breiten Falten schwappend. Wo eine Mütze
Erde lag, pflanzten sie einen Kohlkopf. Ihre Kühe

wirkten sonderbar verkümmert, mißgestaltet, aber vielleicht stimmte das wieder nicht ganz, jedenfalls waren sie nicht größer als anderwärts die Kälber.

Und dann unten die Stadt —

Am Abend ein gegen den Berghang gekehrter Abfallhaufen nach einem Faschingsfest, glitzernde Scherben und verbeultes Blech, Glassplitter, grellstreifige Lumpen, ein schmutziges rosa Mieder — tatsächlich; plötzlich stand er vor jener armbreiten, von zahlloser Wäsche verhängten Gasse, calle di tro-trionfo . . . welcher Triumph? — und war unfähig, sich der Reihe älterer Landsturmmänner, alle aus der Steiermark, anzuschließen. Langsam und stetig wurde ihre Schlange in den glosenden Schacht hineingezogen und wenn einer schreiend aufbegehrte, weil es zu lange dauerte, ging im ersten Stock links ein rotes Licht auf. Hinter dem durchsichtigen Vorhang in halber Fensterhöhe erschien eine üppige Schwarze mit viel Haar (überall wo man Haare haben konnte), beugte sich mit Glutblicken, rundes Email in den Augäpfeln, viel Kohle auf den Lidern, herunter und zeigte, die Beine spreizend, daß, was sie unterm Hemd hatte, dafürstand. Unten im Rinnstein aber lag dieses rosa —

Er war offenbar zu jung, die Sache so kollektiv abzumachen, er trat scheu zurück und bemerkte das Mieder, das sofort mit der Kraft der übelsten Vorbedeutung auf ihn wirkte — —. Wenn er wenigstens allein gewesen wäre, allein hätte er nicht die geringste Schwierigkeit gehabt, aber da war Karel —

Erinnerte Gesprächsfetzen, die so unmotiviert aufstiegen, waren vielleicht noch am zuverlässigsten, gaben die Situation vollkommen adäquat, zeigten auch die Menschen am objektivsten, zum Beispiel diesen Karel — —

„Ich versteh' immer ,kämpfen'! Wofür denn? Ich bin nämlich gar kein richtiger Tscheche und schon gar kein Nationalist. Aber für d e n da —"

Er wies mit dem Kinn nach dem Franz Josef an der Wand, unter dem seit den Kriegserklärungen ein Ölflämmchen brannte, ein Stückchen in Kork gefaßter Docht, der obenauf schwamm; sicher von einem Heiligenbild.

Hugo empfand sich fremd und übertrieben, diese Gesten, die fahrigen Bewegungen, wider alles Erwarten fühlte er, es wurde vielleicht eine Aussprache, die erste —

„Auf der Herfahrt, im Kroatischen, hing an jedem Bahnwächterhäusl so ein Bild, mit Laub und Feldblumen eingefaßt, und daneben — na, der Bahnwächter mit seiner Signalfahne sah genau so aus wie das Porträt — nicht gerade ein Zeichen der Unbeliebtheit — —"

In Karels tiefblondem Gesicht drängte sich die Verachtung vor wie Federvieh durch ein Gitter:

„Eben die Kroaten. Die waren schon im achtundvierziger Jahr die Dummen. Aber wir reden davon, ob d u deine Haut zu Markte tragen willst."

Zu direkt, zu deutlich, viel zu einfach — es käme drauf an, wie Karel reden würde, wenn e r zum Beispiel so einen Onkel Eduard mit roten Lampassen hätte. Vergebens sagte sich Hugo, daß es um s e i n e Haut ging, daß ein Stück Herkunft hohnlachend preiszugeben unter diesem Gesichtspunkt, eben dem des eigenen Lebensrisikos, überhaupt keine Rolle spielte. Aber er fand nicht die Antwort, die es entschied, Karel in seine Grenzen wies. Hugo langte umständlich nach der Flasche (Zeit gewinnen! genau das); zu dem Landsturm-Gefreiten, der sie als Aufsichtscharge begleitete und jetzt in sein leeres Glas starrte:

„Na, geben Sie nur her!"

Sie waren seit fünf Tagen eingerückt und seit vier Tagen in Uniform, sogar das Grüßen besorgte der alte Bauernknecht für sie, sie hatten nur hinter ihm herzugehen. Dem Feldwebel hatten sie eingeredet, es handle sich um wichtige Familienangelegenheiten, Depeschen, die das Postamt nur gegen persönlich vorgewiesene Legitimation herausgab.

Nun saßen sie in der langen Schankbude auf dem Rübenacker, keine zehn Minuten von Casa Bori, wo sie ihre Tornister hatten und auf dem Fußboden übernachteten. An der Mauer in schwarzer Kreide L I R 5. ERSATZ-BAON 1. Ein neues Beton-Zinshaus, insoferne zur Kaserne adaptiert als über dem Eingang ein gut drei Meter hohes Brett aufgenagelt war, auf das der offenbar eingerückte Künstler den Doppeladler gemalt hatte. Taubensanft mit zwei Hühnerköpfen, das Gefieder schuppen- oder dachziegelartig in der Fläche ausgebreitet, erhob er sich auf armdicken Ständern, an deren Enden korbbogenförmig, wie mit blitzenden Messern bewehrt, die riesigen Klauen ausgriffen. Hugo beobachtete, daß die einheimischen Rekruten unwillkürlich die Köpfe duckten, wenn sie da durchmußten. Er selber erlag der Suggestion des heraldischen Monstrums, warf unwillkürlich einen Blick hinauf, ehe er durch die Tür ging, mit einem unangenehmen Gefühl im Nacken und in den Schultern.

„Man gewöhnt sich bald daran!" hatte Karel ihm zugerufen, der vom Fenster aus zusah. Hugo war sich auf eine unbestimmte Weise ertappt, fast ein wenig bloßgestellt vorgekommen.

Der würzig-wunderbare Rotwein, billiger sogar als daheim der Trebernschnaps — das Glas anzusetzen, bedeutete zumeist, es auch auszutrinken. Fast ein Gefühl des Bedauerns, daß der Aufenthalt hier in jedem Fall provisorisch blieb.

„Also die Haut zu Markte tragen — für die Chance ‚Fähnrich' und bei sehr viel Glück ‚Leutnant'. Aber zu allererst — sich seine Haut ordentlich gerben lassen. — Obzwar es aussieht, als ob das ganz gut auszuhalten wäre."

„Der Wein gehört nicht zur Abrichtung, ist überhaupt eine private Tröstung."

Hugo sorgte, daß die beiden andern mittranken.

Die Sonne lag brennend auf dem Tisch, grob gehobelte Fichtenbretter, heizte die Glaswanne auf dem Fensterbrett mit dem zwei Spannen langen Goldfisch, der wie ein gemästeter Zwergkarpfen aussah. Eigentlich sollten wir draußen im Schatten... zu riskant, wenn einer, der nicht diskret genug ist, uns erkennt —

Plötzlich sagte Karel wie aus einem Gedankengang, in den er nicht jeden einweihen würde:

„Wenn wir überleben —"

„Na, hörst du — schließlich seid ihr doch haupt-

sächlich damit beschäftigt, euch auszudenken wie
ihr überlaufen werdet. Ist schon alles verabredet.
Wenn nicht zufällig was passiert, ist wirklich nicht
einzusehen, wie einer zu Schaden kommen soll."

„Ääh — wenn's nur so einfach wäre, wenn die
drüben wüßten —. Der Jindra hat in der Kanzlei
die erste Verlustliste gesehen — eigentlich lauter
Burschen, die nicht wollten."

„Weil die Geschichte noch nicht eingespielt ist,
weil die drüben noch gar nicht wissen, was ihr
wollt, oder vielmehr, daß hier keiner recht will.
Aber bis es mit uns so weit ist, wird die Sache
längst klappen."

„Mit den Russen — ja. Aber gegen die Serben —?"

Der Bauernknecht sagte, als habe er endlich den
Faden des Gesprächs erfaßt und sei imstande von
sich aus einiges beizusteuern:

„Next Wuchn gieht mei Maaschbatlon, ischt scho
's zwoate. A wengerl gschwindt!"

„Na", sagte Karel, fast überzeugt, daß der Alte
ihn gar nicht verstand, „ihr werdet also kämpfen?"

Der Alte sah ihn an als begreife er nicht, was
sonst er anderes tun könnte.

„Hieschiaßen, bis daß dr Ruß nit mehr zruck-
schiaßt!" Mit einemmal hatte er ein bekümmertes
Gesicht, den Mund sonderbar verzogen (wie in
einem nervösen Krampf stecken geblieben), die
leicht entzündet wirkenden Lider unter den blassen
Brauen halb geschlossen. „Next Wuchn! Nachher is
aus!" Wie das Ende eines längeren Gedankengangs
oder Selbstgesprächs. Er stand auf:

„Mocht's enk firti, mir mißn gieh!"

Als bestünde zwischen seinem die nächste Woche an die Front abgehenden Bataillon und dem Aufbruch jetzt ein Zusammenhang, eine besondere, nur von ihm durchschaubare Kausalität.

„Aber keine Spur!" sagte Karel, „natürlich bleiben wir."

„Gschwind, kummts oda i wia 's enk zagn!"

Plötzlich mit einem störrischen, bösartig entschlossenen Ausdruck. Aber Karel wollte nicht; vor zwölf brauchten sie nicht in Casa Bori zu sein, jedenfalls nicht ehe im Hof die Gulaschsuppe ausgeteilt wurde. Hartnäckig, unzugänglich:

„Ös hobt's z' parieren, 's Maul z' holten und z' parieren!"

Hugo gab sofort nach; um die Szene zu beenden ging er einfach voran, draußen vor der Tür drehte er sich um. Gerade als die beiden andern erschienen, hob im Vorübergehen ihr Kompagniekommandant Oberleutnant Mihic ein wenig den Kopf, ja es kam Hugo vor als hielte er sogar eine halbe Sekunde an, kaum so viel als nötig war, ihn und Karel und den Landsturmmann, die Bedeutung der ganzen Situation, zur Kenntnis zu nehmen. Die beiden Rekruten erstarrten in Habtachtstellung, der Alte legte die Hand an die Kappe, Mihic sah unbeteiligt geradeaus, als sei er auch nicht durch die winzigste Kleinigkeit abgelenkt worden. Sie standen eine Weile da, bis der Oberleutnant um die Ecke verschwunden war (als erwarteten sie, er werde zurückkommen, fragen, was sie zur Dienstzeit in dem Lokal zu suchen hatten).

Beide fühlten sie nicht das Lächerliche und Unwürdige ihrer Lage, sondern die neuartige Abhängigkeit, die durch fremde Gesichtspunkte bestimmt, mit völlig ungewohnten Maßstäben zu messen war. Jeder Beschluß über sie ging von Instanzen aus, die sie nicht einmal mit Namen kannten, mit denen vertraut zu werden kaum faßbar, vielleicht unmöglich schien.

Und während sie aufatmeten, zumindest Karel und Hugo atmeten auf, Hugo mit dem Eindruck, daß der Boden unter ihm wegglitt, einfach wie Luft nachgab, dachte er (phil. 3. Semester) an die Seminararbeit, die er im Stich gelassen hatte, das Heft löste sich auf, „die Bedeutung der transzendentalen Ästhetik in der kantischen Philosophie" verflüchtigte sich wolkig unter Karels Gelächter. Und weil es genau so aussah als ob Karel darüber lachte, stimmte Hugo ein, so daß das Absichtsvolle daran noch stärker wurde und Hugo mit dem Gefühl, er springe von einem hohen Trampolin, die Marschmusik drunten am Hafen wie eine Wand aus dröhnendem Gischt empfand, die ihn besinnungslos und gnädig verhüllend aufnahm.

Die Leute drängten an die Soldaten heran als wollten sie sie zurückhalten, schienen sich mit ihnen zu vermischen, schließlich wurde alles zu einem verfließenden Riesenknäuel aus Staub und Geschrei, gerade noch zusammengehalten von dem unsagbaren Blau der Bucht und des Himmels, das sogar den Bergen die bedrohliche Härte nahm, so daß sie in einem dunkel und flach dahinziehenden Gleiten zur Ruhe kamen.

„Olsdern wird 's? Gemma! I wia enk zagn, wos Militär is!"

Befriedigt, daß er da unvorhergesehen einen Bereich entdeckt hatte, in dem e r kommandieren durfte, schob sich der Alte die Kappe zurecht, ging gewichtig voran.

Hugo blickte auf die Hausecke, um die der Kompagniekommandant verschwunden war; der Gedanke, er kenne jetzt vielleicht die niederste und die höchste Instanz, die über sein Befinden entschied, überfiel ihn, gab der eckigen Silhouette des Voranschreitenden die Kraft eines Symbols. Zum ersten Mal ging es ihm auf, als begriffe er den Apparat, in den er nun eingespannt war, seine niemals zu überwindende Gewalt, sein unzerstörbares Gesetz: immer waren die unteren in der Lage, durch Willfährigkeit und Gehorsam emporzusteigen zu denen, die sich die Befugnis über die vielen erhielten, indem sie genau den bedingungslosen Gehorsam bewiesen, den sie von denen, die unter ihnen waren, verlangten. Ein seelischer Kitt, der jeder ideellen Versuchung, der überhaupt jedem Einfluß standhielt, ein System, reguliert von einem abgründig gemeinsamen Verlangen, so daß es sinnlos, geradezu albern war, sich dagegen zu stemmen. Mit einemmal schien es unwiderleglich, daß Karels Gerede, Kampfverweigerung, Überlaufen, auf die gleiche beschämende Weise zwecklos war wie der Versuch, den Wünschen, den Befehlen des Alten ihren eigenen Willen entgegenzusetzen. Er und der Feldwebel würden sich die Selbsterhöhung, die sie aus der ‚Bestrafung' bezogen, in keinem Fall entgehen lassen.

Da sagte Karel (wie eine Zustimmung, die Bestätigung der Gedanken Hugos von einem bisher außer Betracht gebliebenen Gesichtspunkt her):

„Natürlich, in der Kaserne und auf dem Exerzierplatz — da bricht es durch, da gibt's diese Lust am Kommandieren, dem andern über zu sein, den Genuß am Befehl — —"

„Es gibt sogar den Genuß am Gehorchen!"

Karel hatte eine unwillkürliche heftige Bewegung der Abwehr als verscheuche er ein bedrohliches Insekt:

„Aber ‚draußen‘ — das ist was anderes. Die gemeinsame Todesgefahr, du kannst dir vorstellen, wie es den Selbsterhaltungstrieb ganz unglaublich stachelt! Ah, ‚draußen‘ — da kannst du sicher sein — —"

„Hoffentlich", sagte Hugo, „hoffentlich —"

Seifenblasen. Geschwätz, vom Wein begünstigt, ohne andern Hintergrund als den einiger unerfüllbarer Wünsche.

II

Wer wußte noch um die Grundlagen, auf denen er sich sonst zu bewegen pflegte? Ihrer aller Lage war prinzipiell verschieden von jeder früheren Erfahrung und dennoch — irgendwo (aber das war es, man wußte nicht genau wo) fühlten sie sich als seien sie immer so gewesen, als habe der Krieg nur eine Kette verschütteter Möglichkeiten ans Licht gebracht.

Mit böhmischem, ungarischem, polnischem, kroatischem, steirischem oder italienischem Akzent über sie hingeschrien:

„Drittes Glied rechts schwenken, Laufschritt geradeaus, haa-alt! — Laufschritt vorwärts, kehrt euch! Nieder, Auf, Nieder ... Maarsch eins, eins, eins haa-alt! Links schwenken, Laufschritt — —"

Unter der stechenden Sonne, mit brennenden Augäpfeln und ausgedörrter Kehle, einer heißen Haut, die keinen Schweiß mehr hergab. Plötzlich ‚Habtacht, rechts schaut!' Mihic war da, niemand hatte sein Kommen bemerkt. Die Meldung des Feldwebels, der nichts sehende Blick des Oberleutnants, über sie hinweggleitend, als gebe es erst jenseits des graugelben Exerzierfeldes, vielleicht entlang des Konturs der Berge etwas, das sich verlohnte, mit einiger Aufmerksamkeit bedacht zu werden. Der Kompagniekommandant konnte auch zu Pferd oder in einem roten Auto erscheinen, dann saß er im Fond, während vorne zwei dickliche Blondinen, eine chauffierend, neugierig, mit ein wenig befangener Überlegenheit auf die Doppelreihe der Rekruten sahen.

Nach ein paar Augenblicken, unendlich gleichgültig, geradezu abwesend (eine Stimme, für die Damen so gemacht als sei es das Uninteressanteste und Nichtswürdigste, worauf sie Bezug nahm, dabei aber von eigentümlicher Schärfe, jede Silbe akzentuiert hervorgestoßen, eben ein Mann, der diese Energie sozusagen unbewußt produzierte, ah, ein Mann —):

„Bemberg, Lischka, Konwalewsky — eine Stunde, Petschirek, Rottenberg — zwei Stunden nachexerzieren!"

Unmöglich, daß er sie alle kannte, Hugo vermutete, er blätterte hier und da in der Mannschaftsliste, keinesfalls, daß er mit den Namen eine körperliche Vorstellung verband. Aber i h n, Hugo — kaum anzunehmen, daß er ihn nicht im Gedächtnis behalten hatte, nicht genau wußte — —. Die zwei schnurgeraden Linien beim Antreten im Kasernenhof, s e i n Blick die Reihe absuchend, sekundenkurz bei jedem (nur ihn überspringend? Oder wie brachte er es zustande, wie erweckte er den Anschein, daß es für Hugo diese Sekunde nicht gab?) Wann hatte es begonnen?

Es dauerte fünf Tage und kam ihm dennoch vor als sei es immer so gewesen (während es sich nur am ersten Tag zugetragen haben konnte —). Hugo war gerade dabei sich in der Kaserne zu melden; plötzlich riß es die Leute hinter den fleckigen Schreibpulten in die Höh, ein magerer Offizier, Säbel und Knöpfe funkelnd im Glanz flacher Wölbungen des knapp sitzenden Tuches, ging durch den Raum, so nah an Hugo vorbei, daß er ihm sein Dokument hinhielt. Eine Sekunde herablassendes Lächeln, dann reichte der Oberleutnant den Wehrpaß, ohne einen Blick darauf zu werfen, dem Feldwebel hinüber.

Hugo erreichte, daß er die Nacht im Hotel verbringen durfte.

„Morgen um sieben, nicht gerade Schlag sieben Uhr", hatte er wieder da zu sein. Der Feldwebel sagte noch: „Das war Mihic, Ihr Kompagniekommandant. Schauen Sie zu, daß Sie ihm zu Gesicht stehen."

Hugo entfernte sich in einem merkwürdigen Zwischengefühl, Zwischenzustand, der sich nicht abschütteln ließ, vielleicht die Ursache war, daß er sich nachts in dem Lokal so benahm.

Nachher schien alles unverständlich, sogar wie er hingekommen war. Am Rande des breit flutenden Auf und Ab, die Boote am Fischerquai, die eisernen Grotesken im Kriegshafen ins Rötlich- und Grün-Bronzene einschmelzend, sonnengelb durchzittert, Wasser und Himmel tiefblau — die Leute ergaben sich diesem Blau als umspielte es sie wie etwas Körperhaftes, oder vielleicht war es der Wind, Nadelerde, Gewürzkräuter — vor dem Wasser strudelte es erregter, hatte menschliche Laute, Liedstrophen... alle wandten sich da hinunter.

Aber Hugo trieb es zu den alten Pinien, mächtigen kohlschwarzen Wipfelpilzen, hinter denen die unbeweglichen Glutstreifen des Horizontes einsanken. Die Sonne war nicht mehr da, jede Laterne ein Glaskäfig trübgelber Dämmerung. Die Festung wirkte riesig, war jetzt am Abend von aufregender Exotik (aztektische Tempeltreppen, Pyramidenstümpfe?), Felsstücke, schenkeldicke Agaven mit faustgroßen Blüten.

Immer mehr aus den Wandlöchern hervorsickerndes Licht, Dunkelheit wie Rauch, Gezänk, Kinderstimmen. Ärmstenviertel, noch rings um den Platz mit dem Denkmal inmitten der Gaskandelaber (oben auf einer sockellosen Säule suchte einer mit mächtigem gesträubtem Schnauzbart und geschwungenem Säbel das Gleichgewicht zu halten). Thymian, gestockte Waschlauge und Fisch; die Gebäude hielten die Luft bewegungslos in ihrem Halbring. Völlig unerwartet die lackierten Reklamen zwischen den Fenstern, die seidenen Vorhänge.

Wo kamen die Offiziere her? Als hielten sie im Flur eine Besprechung ab. Peinlich, ihre musternden Blicke, Hugo fühlte sich trotz seines Zivils sonderbar im Unrecht, nur aus Befangenheit ging er rücksichtslos durch ihre Gruppe hindurch.

So was hieß überall der ‚kleine Salon‘. Keine lebendige Seele da; ein viel zu großer Lüster, an dem dicht nebeneinander zwei Flammen brannten, so daß die eine Hälfte des Raums wie von einem nicht abzusehenden Block Finsternis zugedeckt war, während die andere im gespenstischen Dämmergrau der Spiegel ihre Grenzen verlor.

Die erste bedeutende Gedächtnislücke — diese Szenen des Hergangs, die er als Trug, Ausflucht, Täuschung unmöglich hinnehmen konnte. Aber wen wollte er täuschen? Er erinnerte sich haargenau und wußte dennoch, es war falsch. Beinahe stand er heute wieder so da wie damals, starrte auf die braunen Samtportieren, dachte, was sie wohl verbargen und hatte das Gefühl, daß er nicht allein sei.

Er sah sich um — das Zimmer blieb leer, es kam niemand nach. Sie mußten doch annehmen, daß er neugierig war, was das Haus zu bieten hatte. Damals — seine verhaltene Sucht aufzutrumpfen, und heute —? Als zöge die Situation sich nur darum so in die Länge, weil, was er erinnerte, alles nicht stimmte. Jedenfalls hatte er sich später an einen der vorderen Tische gesetzt, nervös und sehr vernehmbar auf der Tischplatte getrommelt. Erst jetzt hörte er das (befreiende oder bedrückte) tiefe Aufatmen hinter sich; er wandte sofort den Kopf.

Sie hielt sich in der Ecke, in die Portiere gedrückt, von ihr halb verborgen; die Ellenbogen aufgestützt, das Gesicht in die Hände gelegt. Er hatte den Eindruck, sie beobachtete ihn die ganze Zeit, so daß er sagte:

„Warum kommen Sie denn nicht näher? Unterm Licht hier bin ich besser zu besichtigen."

Die Person fragte lauernd (aber das war eine spätere Zutat, damals hatte er es bestimmt nicht bemerkt):

„Gibt es Neuigkeiten?"

Mit dem instinktiven Gefühl, daß er sich in jener Richtung bewegte, in der ihr Interesse wach war:

„Vielleicht sogar Überraschungen."

Peinlich ungeniert hielt sie vor ihm, betrachtete ihn wie einen Gegenstand. (Auch nur ein grüner Junge! Es stand zu deutlich in ihrem Gesicht.) Ihr breiter, auffallend schlaffer Mund verzog sich zu einer geringschätzigen Grimasse:

„Du gibst an, Kleiner! Am Ende wirst du noch behaupten, daß sie dich hergeschickt haben."

Sie redete ein hartes akzentfreies Deutsch, er glaubte keine Sekunde, daß es ihre Muttersprache sei. Nun kam sie zwei Schritte heran, beugte sich herab, als durchdringe sie ihn mit den Blicken, sehe durch und durch, während er mit ihrem Äußeren beschäftigt war (mager, wahrscheinlich größer als er, offenbar hatte sie einiges hinter sich, sehr brünett, einen flachen Teller aus Haar überm Scheitel, die „Negerfrisur", die gerade aufkam; eigentümliche Augen, glitzerndes Gelb, ein kräftiges Braun hineingemischt, sie behielten etwas Unbestimmtes auch jetzt, wo sie ihn musterte; viel Routine und zu viel Kosmetik). So nah vor seinem Gesicht, als sagte sie es in seine Augen hinein:

„Ihr habt doch immer den Paß, den ihr gerade braucht oder — —? — In Barbariga warst du jedenfalls nicht, nicht zu meiner Zeit."

Er fühlte nur, wie rücksichtslos sie ihn bedrängte — verächtlich, entwürdigend, so daß er nach der einzigen Chance griff, die ihm verblieb, ein bißchen zu steigen. Aber ehe er sich erhoben, sie aufgefordert hatte, drehte sie sich unversehens um, war verschwunden. Er war noch immer verblüfft, da fegte sie bereits seitlich hinter der Portiere hervor, faßte seinen Arm:

„Komm hinauf. Mach schon!"

Von seinem Widerstand schien sie richtig irritiert:

„Na — willst du vielleicht hier —? Heut ist der vierte Tag!"

Wahrscheinlich entging ihr in dem gestockten Halblicht, daß er sie verständnislos ansah. Mit ihren großen energischen Händen hielt sie ihn gepackt und zog ihn mit sich fort. Sie trug jetzt nichts, als eine Art Nachthemd, einen riesigen bunten Schal übergeworfen, aus dem ihre Arme ein wenig dünn hervorkamen, aber sie zeigten mehr Kraft, als er ihnen zugetraut hätte. Er erinnerte sich, daß sie seinen durchaus ernst gemeinten Widerstand ohne sichtbare Anstrengung überwand.

Die Offiziere im Vorraum schienen sie nicht zu genieren, während er sich sofort harmlos gab, unwillkürlich tat, als folge er ihr freiwillig. Plötzlich erkannte er Mihic und vollführte automatisch eine Bewegung mit dem Kopf oder Oberkörper oder mit beiden, die nach einer Verbeugung aussah und von dem Oberleutnant ignoriert wurde. Nicht anders zu erwarten (das Bewußtsein der versäumten Möglichkeit, einfach vorübergehen, ein Nichterkennen zur Schau tragen und noch etwas, wofür es das Wort nicht gibt, wofür Gleichgültigkeit nur eine fernblasse Andeutung ist), im Augenblick nachher spürte er, daß er brennend errötete. Mihic sah an ihm vorbei, die zwei, drei Leutnants verfolgten um so interessierter die Szene. Auf der Treppe flüsterte sie:

„Du kennst den Hund?"

Welche Schlüsse zog sie aus dieser Kombination? Sie gefiel ihm ganz und gar nicht. Reizten ihn die Sicherheit, ihre falsche Vermutung, die Bedenkenlosigkeit? War er, ohne sich darüber klar zu sein, schon auf dem Weg zur Partnerschaft, innerlich bereit eine Figur zu spielen, die ihn an ihre Seite stellte?

„Ist er dein Vorgesetzter?"

Flüsternd, sichtlich im aufsteigenden Zorn, schon ein wenig atemlos:

„Wenn ich 's ihm heimzahlen könnte, wenn ich könnte —"

Sie hielten noch nicht bei ihrer Tür, brach sie los:

„Jede zweite Nacht war ich draußen in Barbariga. Er hat sich alle Mühe gegeben, mich geradezu darauf gestoßen, wie viel den Serben an diesen

Plänen liegen würde ...", während sie ihn ins Zimmer zerrte, „natürlich war dann die Flucht hinüber ein Kinderspiel — der Hund hatte ja alles arrangiert!"

Sie drehte den Schlüssel um. Und jetzt war sie mit einemmal ruhig. Er hatte die Szene (wie viele Jahre her?) so lebendig und anschaulich vor sich ... zum Beispiel, wie sie die Augen nach Art der Kurzsichtigen ein wenig zusammenkniff, wenn sie ihn musterte. Dann holte sie aus der Schublade einen Papierstreifen, der schräg durchgerissen war, und legte ihn auf den Tisch. Sie sah ihn dabei ununterbrochen an.

„Nicht —?" sagte sie nach einer Weile, während ihre Blicke beziehungsvoll zwischen ihm und dem gelben Streifen hin und her gingen. „Also kann ich 's mir auch ersparen, zu fragen, warum du mit solcher Verspätung kommst?"

„Ich — ja, ich bin nämlich erst seit gestern — —" plötzlich war es eine Herabsetzung, geradezu beschämend, als Rekrut eingerückt zu sein. „Ich mußte zum Regiment, konnte einfach nicht ... heut ist der erste Abend, an dem ich eine Gelegenheit fand, mich davon zu machen."

Sie nahm den durchgerissenen Papierstreifen vom Tisch, blickte ihm abschätzend in die Augen, legte den Streifen nachdenklich in die Schublade zurück.

„Eines hast du jedenfalls für dich —", sie kniff die Augen noch mehr zusammen, „du kommst allein. Warum? Sonst erscheint doch immer die ganze Bande —?"

Hier spürte er die Grenze, jenen Punkt der begierig aufgegriffenen Rolle, an dem er nicht weiter wußte. Er suchte ihren unschlüssigen Blick, zeigte sich von der Situation nicht sonderlich berührt, während er bereits dahintrieb auf dem Grunde eines Gefühls, das sie in ihm wachgerufen hatte, in eine Richtung, die sie bestimmte — — absinkend, seine zur Schau gestellte Gleichgültigkeit war längst keine Hilfe mehr. Sogar wenn sie es nicht zeigte, wäre er überzeugt, daß sie ihn durchschaute.

Er hatte es anders vorausgesehen, sie würde sich Mühe geben, ihn in die richtige Verfassung zu bringen, er dachte an seine Erregbarkeit wie an einen geheimen Defekt, sie würde sofort wissen, daß sie auf gutem Wege war, und wenn er dann darauf brannte... plötzlich würde sie dasitzen, ihn ausfragen, denn nun bekam sie jede Auskunft, die sie wollte, rasch, nur rasch — — (sie wieder auf den Diwan und in die Horizontale bringen... aber er nahm sich vor, sie in dem Punkt gründlich zu enttäuschen).

Statt dessen stand sie vor ihm, nachdenklich, fast selbstquälerisch, offenbar dahingelangt, auf alles zu verzichten, was er ihr erzählen könnte, entschlossen, sich an sein Aussehen zu halten, an die Art, wie er sich gab. Nein, er hatte keinen mühelosen Erfolg erwartet, aber daß die Sache sich so einfach anlassen würde —. Er begriff nicht gleich, warum sie auflachte, erst als sie den Schal hinwarf, eine Spange an der Schulter löste, daß dieses Hemd oder was es war, zu Boden fiel — —

„Na", sagte sie und die Grimasse ihres Mundes suchte jetzt immerhin zu verbergen, daß sie nicht schmeichelhaft gemeint war, „na, zieh dich endlich aus!"

Ihr eher häßlicher Körper? Nicht mehr jung, aber sehr fest, die einzelnen Teile griffig gegeneinander abgesetzt; er stürzte sich kopfüber in die letzte Position, die es für ihn noch geben konnte, machte das Männchen mit der nie versagenden Übertreibung, die von jeder Älteren, je älter um so vorbehaltloser, mit Sympathie und manchmal sogar mit Dankbarkeit hingenommen wird. Ja, er erinnerte sich genau, er war das Männchen gewesen, das sie mit den Schenkeln und ihren Handgriffen hochgebracht hatte, beträchtlich höher als er vermuten durfte. Als Trumpf für den Abgang (das kleine ironische Lächeln, das er sich leisten würde) blieb wieder der Mann, der nun mit der Brieftasche zum Ausdruck bringt, daß er zufrieden gewesen ist.

Vielleicht verriet er sich gerade dabei oder sie war ihm eben auf der ganzen Linie über, auch wo es sich um die jugendlichen Jahrgänge handelte, vielleicht war er überhaupt kein komplizierter Fall. Sie tat nämlich etwas, was in ihrem Milieu völlig ungewöhnlich ist, griff nach der einen der zwei Banknoten und hielt sie ihm hin:

„Zuviel!" sagte sie. Und auf den Blick hin, der sein Erstaunen leicht übertrieb, „na — nimm nur!"

Plötzlich war es das einzige, um bei ihr nicht völlig abzufallen, eine ferne Vertrautheit, etwas wie eine Art Einverständnis zu bestätigen, daß er die Hand ausstreckte und die Banknote wieder an sich nahm. Und nun war er imstande, die Geste der Intimität sogar fortzusetzen, indem er nahe an sie

herantrat und ihre Wange flüchtig mit einem Kuß
berührte. Aber sie korrigierte ihn sofort, bog seinen
Kopf zurecht und küßte ihn ausführlich auf den
Mund.

III

Nichts als Erinnerungs-
lücken. Wann hatte sie ihm ihre Beziehung zu Mihic
preisgegeben, wie kam es überhaupt dazu, daß sie
ihn einweihte? Das konnte sie doch leichter als jede
andere den Kopf kosten, das heißt den Strick ein-
tragen, durch dessen Schlinge man ihr den Kopf
steckte. Schließlich war sie nicht in den Jahren, in
denen man über solche Dinge renommierend herum-
redet (renommiert hatte sie ganz und gar nicht, die
Rolle, die sie gespielt hatte und die sie nicht im
geringsten beschönigte, war für sie alles eher als
schmeichelhaft).

Wann also hatte sie ihn ins Vertrauen gezogen,
wann? Zu lange schon lebte er mit der Vorstellung,
daß er — ja, er dachte lieber „ihr Komplize" als
„ihr Verbündeter" gewesen sei, obwohl er, wenn er
es genau nahm, was immer seltener geschah, sich
gestehen mußte, daß er weder das eine noch das
andere war. Ihre Sympathie für ihn schien unleug-
bar, doch sie selbst blieb, vielleicht nicht einmal aus
persönlichem Mißtrauen, viel zu vorsichtig. Bei der
Sorte von Männern, mit denen sie in Berührung
kam, war jede Art von Reserve und die äußerste

Verschwiegenheit die einzige Waffe, mit der sie sich einigermaßen schützen konnte.

Es handelte sich um die Pläne des Forts Barbariga, Mihic hatte sie darauf gebracht, wie interessiert die Serben an diesen Plänen wären; er gab ihr nicht etwa ein, die Pläne „heimlich an sich zu nehmen" (sie sagte nie „stehlen"), um sie — gegen Geld versteht sich — den Serben zu bringen.

Hugos Phantasie, ihre Andeutungen oder eine bis in die Einzelheiten ausführliche Schilderung? Sooft Hugo in der Folge bei ihr auftauchte, war Mihic da. Wenn Hugo den Spalt im Drahtverhau um Casa Bori benützt hatte, den gefälschten Ausgangszettel für die Patrouille in der Tasche, schlich er hinter der Eingangsportiere gleich zur Treppe, jede ihrer Kolleginnen wußte, warum er dort wartete, bedeutete ihm, ob Mihic sich im Vorraum aufhielt oder im „Kleinen Salon" saß, durch das „Bühnenloch" im braunen Vorhang konnte er dann einen Blick auf ihn werfen. Die schwarzgelben Börtchen ermöglichten den Einlaß trotz der deutschen Aufschrift neben der Tür NUR FÜR OFFIZIERE.

Nicht zu übersehen, ihre Nervosität wuchs von Woche zu Woche, ihr Gesicht sank ein, die Augen schienen sich zu vergrößern, immer öfter wie hinter einem fiebrigen Schleier, die Rastlosigkeit übertrug sich von den Händen auf jede Bewegung; sie wirkte ausweglos in die Enge getrieben.

„Er soll mich in Ruh lassen, ich will nicht, ich tauge nicht dazu! Ah, der Hund glaubt —"

Plötzlich ihm ins Ohr flüsternd als sei ihr nicht gegenwärtig, wo und mit wem sie sich befand:

„Ja, der Hund glaubt, ich weiß nicht, daß die Pläne, mit denen er mich jetzt hinüberschicken will, genau so falsch sind wie die früheren. Wenn die Serben draufkommen, daß ich sie düpiere — — aber e r ginge ohne ein Wimpernzucken über mich hinweg. — Um Christiwillen, ich setze alles dran ... nur nach dem Westen, um keinen Preis wieder zurück!"

Die Ausbrüche begannen zögernd, verrieten gerade dadurch die innere Bedrohtheit, führten (so mußte es gewesen sein, das war am plausibelsten), sie führten notwendigerweise von selber dahin, daß Hugo in den Hergang der Ereignisse Einblick gewann, Bescheid wissen mußte, damit ihre Lage und die Ausflucht, die sie versuchte, verständlich wurden.

Sie war das Glied einer Kette, von der vielleicht nicht einmal Mihic genau wußte, wo sie begann und wie sie enden würde. Hugo hörte, daß die beiden anfangs Ausflüge im Wagen unternommen hatten, an den Abenden saßen sie Champagner trinkend auf den Terrassen, die alle aufs Meer hinausgingen. Wahrscheinlich, daß von ihrer Seite eine gewisse Sympathie im Spiel war; wenn er sich ihr derart ausführlich widmete, dürfte auch bei ihm etwas wie eine erotische Affinität vorhanden gewesen sein, die er am meisten wohl vor sich selber verbarg.

Wahrscheinlich war er damals schon zu weit gegangen und konnte oder wollte nicht mehr zurück. Er war nicht danach beschaffen sich klar zu machen, daß er sich an ihr rächte, weil er — ein vermögensloser Infanterieoffizier, der von seiner Gage lebte — sich keine Geliebte halten konnte. Offenbar hatte er es möglichst von sich geschoben, durch psychische und moralische Dämme gesichert, daß er ihr von allem Anfang stillschweigend einen Bereich überließ, in dem sie für sich selber sorgte.

Vielleicht war der Spionageauftrag überhaupt nicht mehr als eine vorgegebene Absicht, mit der er sein häufiges Beisammensein mit ihr vor den Kameraden motivierte. Gelegentlich ein erstaunter Blick, eine andeutungshafte Bemerkung — nicht von der Hand zu weisen, daß er der Angelegenheit auf diese Weise eine Begründung geben wollte, die auch von den Vorgesetzten respektiert werden mußte.

Bis es schließlich nicht anders ging als sie auf dieser Bahn dorthin zu schieben, wo das Projekt eines Tages Wirklichkeit wurde.

Jedenfalls hatte er sie zunächst eine Woche bei sich behalten und dafür gesorgt, daß sie wiederkam, damit sie ihn beim Studium der Pläne überraschen konnte.

Natürlich brach er seine Tätigkeit sofort ab, packte die Pläne zusammen, trug sie gewichtig nebenan in eine Art Kanzleiraum, in dem der Tresor stand. Es war nicht schwierig sich vorzustellen, wie er ihre Neugierde weckte, ein wenig ironisch die Geheimhaltungsvorschriften übertrieb, aber es so einrichtete, daß sie dennoch alles kennen lernte, sogar das Schloß des Tresors ließ er sie versuchen, damit sie sich überzeugte, wie unmöglich es für den Außenstehenden zu öffnen sei.

„Dabei halt' ich es nicht einmal für das neueste, die auf den Schiffen haben noch kompliziertere, aber es ist fabelhaft!"

Unter seinem nachsichtigen Lächeln durfte sie solange probieren, bis sie es endlich aufbekam.

Merkwürdig, ein paar Szenen waren derart in die Erinnerung gestanzt, daß sie sich heute noch wie unverrückbar im gleichen Ablauf vollzogen. Vielleicht kam ihnen tatsächlich eine nicht ohne weiteres durchschaubare Bedeutung zu... jener Abend — eigentlich war es schon tiefe Nacht, vermutlich ging es gegen die ersten Morgenstunden. Jenseits des Korridors von der Toilette her hörte man diesen ziemlich bejahrten Landwirt, der sich ächzend und würgend, von Flüchen unterbrochen, in Abständen immer wieder erbrach. Dazu die Flüsterstimmen der beiden Mädchen, mit denen er sich gegenüber offenbar im Bett aufgehalten hatte. Der kroatischen Unterhaltung und den Geräuschen war zu entnehmen, daß die Mädchen vergeblich versuchten, ihm aus einer Flasche Magenschnaps in den Schlund zu gießen.

Vielleicht hatte er solche Einzelheiten nur deshalb bereit, weil sie für andere wesentlichere stellvertretend waren, an die er nicht mit der gleichen Anschaulichkeit dachte. Zum Beispiel wie er sofort, kaum daß er die Tür geschlossen hatte, von dem Eindruck nicht loskam, daß Mihic dagewesen sei. Sie hob kaum den Blick, vornüber sinkend, nichtssehend auf ihre Hände starrend; er wußte bereits, er durfte jetzt keine Fragen stellen, sondern warten bis sie begann. Auf dem Tisch die leere Flasche.

„Warum mich der serbische Major zurückrief?" Sie schüttelte sich als schüttele sie den Major ab, einen ebenso hinterhältigen wie gewichtigen Einwand. „Wir lassen Ihnen trotzdem noch eine Chance, wir helfen Ihnen gerne, ich glaubte nicht recht zu hören, ich war sofort wieder über allen Wolken, Sie dürften etwas knapp sein, da bitte — — ein Kavalier, der meinen Wunsch zurückzukehren auf der Stelle respektierte, so viel war ihnen an diesen Plänen gelegen. Ich habe nicht einen Augenblick gezögert, ich lernte die Forts auswendig, von denen sie solche Zeichnungen brauchten, nur fort..."

Und Hugo, zuhörend und nicht zuhörend, weil er Mihics Gesicht zu deutlich vor sich hatte, seine Augen... das sekundenkurze Grinsen der Chargen, wenn sie ihn mit ihr sahen oder wenn er im Vorraum bei Madame Alessio auftauchte. Damals schon — sein Blick, die „Spürhund-Allüre": den Kopf gesenkt, das Kinn vorgestreckt, ging er auf den Unglücklichen los, der eben im Gespräch aus irgendeinem Grund aufgelacht hatte oder seinem Herankommen lächelnd entgegensah. Mihic trug zu dieser Zeit gewöhnlich ein kleinfingerdickes spanisches Rohr als Reitgerte, er schwang es gefährlich wirbelnd auf und ab, während er beleidigend nahe an sein Opfer herantrat, ihm ununterbrochen ins Gesicht starrend:

„Komisch? So ein plötzlich auftauchender Kompagniekommandant... eigentlich was Komisches, nicht wahr?! Warum — ha?"

Ohne einen Laut verharrte der andere in angespanntester Unbewegtheit.

„Morgen zum Kompagnie-Rapport! Ich werd' dafür sorgen, daß Sie darüber in aller Ruhe nachdenken können, verstanden?!"

Er erreichte tatsächlich, daß manche Kameraden Hugos das Lokal zu meiden begannen. Nicht unwahrscheinlich, daß diese Seite Mihics ihr unbekannt blieb oder daß sie ihr zu wenig Gewicht beimaß. Wenn sie lang genug gesessen hatte, kamen unweigerlich die beiden Varianten zum Vorschein, die ihr gelegentlich kaum entwirrbar durcheinander gerieten.

„Dort bleiben —? Ohne ihn wiederzusehen, ohne mit ihm abzurechnen?"

Und die andere:

„Ich wußte nicht wie, aber ich hätte es zuwege gebracht, ich war damals zu allem fähig. Heute — —" sie starrte mit schmalen Augen vor sich hin, nicht als s ä h e sie, sondern als bedränge sie ein Gefühl, ein auswegloser Zustand, der sich nicht abwehren ließ.

„Nach dem Balkan kommt nämlich der Vordere Orient — und für eine Person in meiner Lage — —"

Sie ließ es unausgesprochen, was eine Person in ihrer Lage dort zu erwarten hatte, aber sie verriet, daß die beiden Varianten im Grunde nur eine einzige waren.

„Was ich dem Major drüben vorgespielt habe, war gar nicht so schlecht (derart grotesk verschob sich der Wunsch nach s e i n e r Nähe unter der Perspektive dieser Umstände, sie sprach von ihm nicht mehr als ‚der Hund' oder ‚Mihic', sie sagte ‚Zeno', auch das verstand Hugo erst viel später), jedenfalls tat der Major als ob er... es kann aber ebenso gut sein, daß er mir kein einziges Wort glaubte. Jaja, bringen Sie nur die Pläne, und diesmal die richtigen, alles andere — seine Handbewegung deutete nicht gerade an, daß ihm an dem andern (inklusive meiner Person) viel gelegen sei. Wie gesagt, ich fühlte mich zu allem fähig... ah, das Wiedersehen, das ich mir ausmalte, immer wieder vorstellte... w i e ich heimlich zurückkam und er mich am Abend, als er zu meiner Nachfolgerin wollte, in meinem Zimmer antraf! Aber hier gibt es eine zweifelhafte Strecke, wo ich nämlich nicht ganz sicher bin, ob er nicht doch eine Lücke im Hintergrund, ein Loch gefunden hätte, durch das er mir entschlüpfte. Vielleicht hatte er den gleichen Gedanken wie ich, dieselbe Vorstellung, von seiner Seite her versteht sich, die niemals bis auf den Rest auszuschöpfen ist, die man nur immer wieder genießen kann — —" schnuppernd, mit bebenden Nüstern, wie man einem Geruch nachwittert, der sich unweigerlich verflüchtigt.

„Also — —" und nun brauchte sie ein Glas Kognak und noch eines und eine neue Zigarette, „indem ich ihn nämlich draufbringe und er es einsieht, daß es keinen besseren Ausweg gibt, daß es das Klügste ist, so zu tun als hätte ich wieder die falschen Pläne hinübergebracht und diesmal wäre es gelungen, sie ihnen als die richtigen einzureden... bis es ihm allmählich aufgeht, daß jetzt zuerst e r in meiner Hand ist, der Komplize, der Freund, hatte er nicht versprochen, wir sollten uns in Wien treffen? Und weil es sich in der österreichischen Armee nicht machen ließ, daß wir nämlich zusammenblieben — —" hier stand sie auf, vergaß Ort und Person und pflanzte sich rücksichtslos mit einer vielsagenden Handbewegung vor Hugo hin, in den Augen, in der Stimme lächelnde Zuversicht, schonungslose Überlegenheit, beinahe die erfüllte Rachsucht — endlich! „Und daß es wirklich in Österreich unmöglich sein würde, dafür konnte ich mit dem, was ich zu erzählen hatte, jederzeit sorgen, ah, er würde bei mir bleiben müssen ... aber da hatte er schon wieder den Ausweg, seine Methode, mir über zu sein — er würde in die türkische Armee eintreten, nur um mich mitnehmen zu können wie er sagte, d a m a l s wäre ich unter allen Umständen mit ihm gegangen, auch gnadenhalber, so gerne ließ ich ihm seinen Triumph, von dem er nicht merkte, daß es eigentlich der meine war. Statt dessen — —"

„Er ist doch heut dagewesen", sagte Hugo, „ich brauchte dich nur anzusehen —"

„Kein Wort von unseren Absichten, er redete ... er wollte sein Medaillon haben, er war nicht davon abzubringen."

„Das er dir geschenkt hat?"

Sie entgegnete mit einer unsicheren Bewegung der Schulter, einer Grimasse mißglückter Ironie, dem halben Geständnis. In dieser Pause, in der sie sichtlich nicht weiter wußte und in der er überlegte, ob er ihr Vorhaltungen machen sollte, aber bereits „Ach so!" gesagt hatte — durchschauender und ablehnender sein Gesicht als er wußte. D a m a l s in diesen Minuten, in denen er sich gewissermaßen von ihr lossagte, seine doch nur in der Phantasie bestehende Beschützerrolle aufgab, wurde ihm deutlich, wie falsch er die Erlebnisse zusammenordnete, allzu gleichartig, viel zu logisch. Heute durfte er es zugeben, die Distanz der Jahre machte es begreiflich, daß sich die Dinge nicht mehr in der Reihenfolge zum Leben erwecken ließen, in der sie vor sich gegangen waren.

Zum Beispiel dieses Medaillon an seinem Hals, das sie ihm nachts heimlich vom Kettchen gelöst hatte — was nahm sie ihm da wirklich, was bedeutete es ihm, welche Gefühle zwang sie damit zu sich herüber, konzentrierte sie auf ihre Person? Warum erregte er sich so, geriet in diese Exaltiertheit, sprach von nichts anderem als hingen von dem Medaillon (das sie vielleicht tatsächlich verloren hatte, jedenfalls blieb es unauffindbar), ihre gemeinsamen Pläne ab?

Es schien naheliegend anzunehmen, daß er sie schon in einem rein physischen Sinn brauchte und ihm schließlich der Widerstand gegen jede Art Vertrautheit — auf den er selber am meisten bedacht war — so unerträglich wurde, daß es für ihn fast eine Befreiung war sie wegzuschaffen. Vielleicht hielt er deshalb so starrsinnig daran fest, daß sie für ihn nur als Werkzeug in Betracht kam ... und zuletzt ihre Vernichtung (ja, tausendmal ja! „Schlimmer als Mord!“) — aber da war sie längst auf das starre Geleise des Militärgerichts geraten, das ohne sein Zutun, sozusagen automatisch funktionierte.

IV

Sogar das erfaßte Hugo jetzt: daß auch er das seine dazu beigetragen hatte, indem er sie bei den Kameraden in Mode brachte, ohne es zunächst auch nur zu ahnen (so daß sie wußten, wen sie oben bei Madame Alessio treffen konnten). Wenn es ihr Grinsen wirklich gab — nicht länger als eine Sekunde, ehe es in ihren Respektgesichtern erstarb.

Mit niemandem, nicht einmal mit Karel hatte Hugo je ein Wort über sie gesprochen, aber Karel war der erste, der ihn mit ihr gesehen hatte. Dann setzte er sich zu Karel an den Tisch; sie erschien zwischen den Falten der Portiere, starrte herüber. Karel bemerkte den Blick, wahrscheinlich entging ihm auch nicht, was Hugo mit den Augen, im Ausdruck des ganzen Gesichts ihr entgegenschickte.

Auch Karel sagte nichts, verkniff die Lider, eher belustigt als ironisch, in der Gewißheit, daß er die Partie gewann; das nächste Mal ließ er sie gar nicht heran, winkte zur Tür hin, war schon auf dem Weg.

Nachher saßen sie zu dritt beisammen — und da war es anders, nicht nur daß ein seelisch fremdartiges Gebilde geradezu körperhaft spürbar bloßlag, eine Verletzung, von der er nicht verstand, warum sie nicht schmerzte — ihre Beziehung schien von etwas durchdrungen, in das nun auch Karel mit einbezogen war; ein, zweimal ging ein Lächeln zwischen Karel und ihr hin und her, gar nicht in Worte zu fassen, eine gegen Hugo gerichtete Vertraulichkeit, über die er empört aufbegehrte, wenn sie im Traum wiederkam, während er bei Tag, gequält und gehässig, sich immer wieder vorhielt (was zu glauben ihm im Innersten zuwider war), daß es sie so oder kaum anders, jedenfalls sehr ähnlich, auch zwischen ihr und ihm gab.

Bis Mihic eines Nachts brüllend unten im Vorraum stand:

„Niemand da, der mich angrinst? Oder grinst ihr jetzt nur hinter der Tür?" (Wie eine hartnäckige Befürchtung, die sich bei ihm unaufhaltsam in die Tiefe fraß.) „Ihr dürft auch im nächsten Marschbataillon noch grinsen, sogar wenn ihr mit euren gefälschten Passierscheinen schon gut eingekalkt dort liegt, wo ihr nichts anderes mehr zu tun habt!"

Ganz offenbar schwer betrunken, ein höchst ungewöhnliches Bild und ihnen so überraschend ungeniert zur Schau gestellt, Hugo sah auf die Uhr, erst dreiviertel Elf, rückte den Stuhl so, daß er mit dem Rücken zum Eingang saß; die gellende, hysterisch akzentuierte Stimme, gewissermaßen Mihic in Extraktform, in äußerster Steigerung. Karel kam (sichtlich aus ihrem Zimmer) geduckt die Treppe herab, mußte so nah an Mihic vorbei, daß er seine Schulter streifte, bekam seinen Mantel zu fassen, stürzte hinaus, drei, vier andere ihm nach. Nur dieser Lehrer, der in den nächsten Tagen abrüsten sollte, um mit seinem Herzleiden nach Prag zurückzukehren, stellte sich in Positur. „Habtacht!" als habe er sich damit abgefunden, Mihics Gezeter über sich ergehen zu lassen. Ein paar Augenblicke, dann mochte ihm das Überflüssige, ja Groteske seines Dastehens aufgehen, aller militärische Drill war mit einemmal ausgelöscht, plötzlich hielt er mit einem einzigen Satz bei der Tür, war verschwunden, während sie Mihic nebenan führten; immer noch gestikulierend und unter unsinnigen Drohungen, die in der Beschwichtigung durch seine Kameraden untergingen.

Als Jindra am nächsten Morgen die Brote ausgeteilt hatte, winkte er Hugo auf die Seite.

„Hast du ihn schon sooo gesehen? Hättest du es für möglich gehalten? Niemand hat ihn je sooo gesehen. Die waren ganz weg. Ich verkroch mich nämlich hinterm Vorhang des Gangfensters, gleich neben der Tür. Immer wieder kreischte er, er würde den „bebrillten Schul-Ochsen von einem Simulanten" noch „einrückend machen". Woher weiß er denn, daß Dunja — —"

„Irene, sie heißt Irene!"

„Es gibt ein paar, die sagen Dunja, allerdings sind das Serben."

„Ich weiß. Die Dalmatiner nennen sie wieder anders, aber sie heißt Irene." Und auf Jindras in der Bewegung des Kinns, der emporgehobenen Hand sich ankündigenden Einwand, „sie selber hat mir —"

„Glaubst du, sie hat mir nicht —?"

„Was will sie damit?"

„Unklarheit schaffen über ihre Person —"

„Als ob an der nicht schon genug unklar wäre!"

Als sei dies der Ton, in dem über sie gesprochen werden durfte. Keinem drückte es die Kehle ab, aber jedem lag es auf der Brust, ein gespanntes Abwarten, in das man sich rettete wie in einen Hinterhalt. Sie überboten einander im Nicht-beteiligt-sein:

„Genau besehen, ist doch alles höchst einfach —"

„Ja, sie will fort, wenn nicht nach Wien so wenigstens nach Prag, um jeden Preis in die nordwestliche Richtung."

„Du meinst... der Lehrer wird sie tatsächlich —?"

„Ein Lehrer —? Aber Kellner heiraten manchmal so eine, wenn sie nämlich Ersparnisse hat."

„Also hier ‚rüstet sie gleichzeitig‘ mit ihm ab — die Freundinnen sind außer sich hahaha —"

„Sie wäre mit jedem von uns gegangen, sie hat doch von nichts anderem mehr geredet."

„Klienten hatte sie, erstaunlich. Weiß Gott, was sie kann!"

„Aber offenbar kann sie es —." Sie lachten beide auf die gleiche Art (Verlegenheit, Unbehagen mit einiger Ironie und krampfhafter Heiterkeit so gut es ging überdeckt). Schließlich sagte Jindra, „wir sind eben nicht die richtigen."

Es zeigte sich, daß auch der Lehrer nicht der richtige war. Hugo sah ihn zwei Tage später, so lange her und dennoch wie heute, er stand im Privatzimmer der Madame, die es übernommen hatte (augenscheinlich besaß sie die Fähigkeiten dazu) ihm mitzuteilen, daß Irene unter dem Zwang der Umstände... leider, sie wiederholte „leider" und hatte schon ihr Taschentuch bereit. Ein großer dreifenstriger Eckraum, auf einem plüschüberzogenem Sokkel das riesige Ehebett wie ein Altar; das Altarblatt, ein Öldruck, die Madonna inmitten eines Hofstaates von Heiligen, füllte die halbe Wand. Mit den Deckchen und Porzellanfiguren konnte man leicht einen Verkaufsladen ausstatten. Die Madame verstand zuerst nicht, was Hugo hier wollte, aber das dauerte nur ein paar Augenblicke, dann nickte sie, natürlich, Hugo war der Freund, der dem Lehrer half es zu tragen.

Gänzlich unvermutet war Hugo in dem abgegrenzten „Vestibule" auf den verstörten Menschen gestoßen, in Zivil wirkte er noch blonder und dicklicher, vor allem sein runder Rücken erweckte fast den Anschein als handle es sich um eine Mißbildung. Die kurzen Finger mit den eingewachsenen Nägeln, er streckte Hugo die blassen teigigen Hände entgegen, fassungsloses Erstaunen, völlige Ausweglosigkeit; bei der Tür standen zwei pralle Rucksäcke, dazwischen ein kleiner, schwarz gestrichener Holzkoffer, seine Habseligkeiten.

Er übersprudelte sich, wollte alles zugleich erzählen, wie er also zeitgerecht, das heißt eine gute halbe Stunde vorher, an der Bahn gewesen sei, er verwahrte doch die Karten, erster Klasse, sie bestand darauf, sie war davon nicht abzubringen, vielleicht weil er es nicht ernsthaft genug versucht hatte und es zu dem Nimbus paßte, den sie nun einmal besaß. Übrigens hatte sie selber ihm das Geld dazu gegeben, auch auf seinen Vorschlag war sie sofort eingegangen, nicht bis Weinberge zu fahren, sondern in Tabor bei seinen Verwandten zu unterbrechen, möglich, daß sie sich dort eine Woche aufhielten.

Er hatte die Fahrkarten umständlich aus einem mit allerlei Kram gefüllten Portemonnaie hervorgesucht und hielt sie Hugo immer wieder vors Gesicht wie ein Argument, den unwiderleglichen Beweis.

„Nämlich s i e hat das Geld gegeben, erster Klasse, sie hat es sich gewünscht, also mußte sie doch die Absicht haben mit mir — —"

Die Madame wußte nur, daß sie nicht mehr da war, aber sie erfüllte einen Auftrag, wenn sie dem Lehrer Grüße bestellte und ihm mitteilte — — ja, und auch die Madame hatte den Eindruck, warten sei zwecklos —

„Verstehst du es, kannst du begreifen — — sie gibt das Geld für die Fahrkarten, erster Klasse, bitte zieh es genügend in Betracht, vergiß nicht, erster —"

Auch Hugo konnte der Madame nur beipflichten, daß sie allein gereist sei. Der Lehrer schien von einem innersten Zweifel von neuem gequält:

„Allein? Jetzt im Krieg — —?"

„Unbedingt allein, das ist überhaupt keine Frage."

Hugo hätte ihm sogar sagen können, wohin—

Plötzlich starrte er Hugo feindselig ins Gesicht wie unter einem aufkeimenden Verdacht.

„Warum bist du eigentlich hier? Wen wolltest du aufsuchen?"

Die Frage war klüger als der Lehrer ahnen konnte. Ihr Adieu sagen, sie war in den letzten Tagen für niemanden zu sprechen gewesen. Vielleicht war sie wirklich nicht mehr da, nun fiel ihm ein, daß er auch Mihic hier im Lokal nicht gesehen hatte und keine ihrer Kolleginnen hatte ihn aufmerksam gemacht, daß Mihic etwa gerade gegangen sei. Sie hatten ihn spöttisch (nun wußte er es, mit einemmal kam es über ihn, und wahrscheinlich hatte er auch

44

darin recht), geradezu ein wenig mitleidig betrachtet.

„Du hier — —?"

„Was suchst du denn noch? Doch nicht etwa — hahaha — —"

Er entgegnete mit einer beschämend mißglückten Grimasse; sie täuschte nicht einmal über sein Erröten, in dieser klaren direkten Frage war seine Situation haarscharf formuliert, die in der Tiefe steckengebliebene Beziehung mit einem einzigen Griff blutig-roh ans Tageslicht gezerrt.

Aber war s i e nicht vom ersten Augenblick an die S e h e n d e gewesen, jedenfalls die, die ihn und was er, wenns darauf ankam, wirklich vermochte, sofort richtig einschätzte? War er jemals mehr gewesen als ein lebendiges Manometer ihres Herabgleitens in Mihics Arme, in seinen Willen, in den Auftrag, an den er so viel dransetzte, daß er ... ah, im Bett, wenn sie d a b e i waren, brauchte er gewiß nicht zu heucheln, im Bett heuchelte keiner, sie hielt ihren breiten schlaffen Mund hin, der nun den Ausdruck eines unerhörten Versprechens, einer vollständigen Hingabe hatte, die Sekunde vor dem Ausgelöschtsein; nein, die Heuchelei begann wohl erst — niemals vorher, sondern n a c h h e r, wenn Mihic ihre Hoffnungen in Worte übersetzte, an der Szenerie ihres Zusammenlebens baute ... wozu einiges Geld nötig war, was er zur Verfügung hatte, konnte vielleicht reichen, wenn er den bei dieser Gelegenheit stets zitierten Brauerei-Onkel in Anspruch nahm, aber d a n n —. Nämlich wenn er es bei den Türken versuchte, die Übergangszeit würde etwas kostspielig sein, er sah da noch nicht klar . . . ja, wer sollte es ihr verübeln — Hugo verzerrte das Gesicht bereits wieder in seinem ostentativen Lachen („die jämmerlichste Art mich schadlos zu halten") — wenn sie mit den Rekruten ein wenig das spielte, was nur mit IHM tiefgreifender unberührbarer Ernst war?

I h r war es also nicht gelungen, Mihic zum Komplizen zu machen, es genügte, daß ER ausblieb, sich abwandte, um zu erreichen, daß sie gefügig wurde. Aber ihm war es gelungen, den Spionage-Auftrag so mit dem Phantasie-Bild ihrer künftigen Gemeinschaft zu verschweißen, daß er wie deren unerläßliche Voraussetzung aussah.

Hörte man deshalb nichts mehr von ihr? Die Madame in ihrem Zimmer war die letzte, die ihre Existenz bescheinigt hatte. Nicht einmal der Name stand fest, aber die Madame hatte ‚Irene' gesagt, wenigstens das. Ein leerer Streifen, von einer Woche in die andere mündend, mit der Bewegung eines unverständlichen Schattenspiels darauf, das die Kameraden als ihr Schicksal nahmen. Ohne Verwunderung, fast als hätten sie darauf gewartet, fanden sie sich damit ab, daß auch sie würden fort müssen.

Karels Augen — als wüßten sie, was sie damals unmöglich gewußt haben konnten, was sie höchstens als Wahrscheinlichkeit befürchtet hatten — waren unerträglich. Der Tabakrauch biß in der Kehle, der Wein schmeckte bitter, die Betrunkenheit ringsum stieg ins Besinnungslose.

„Gewiß, niemand kann heute sagen, wie es sich abspielen wird, aber —"

„Es heißt, das Bataillon geht gegen die Serben."

„Das ändert die Sachlage nicht unbedingt. Formationen, die geschlossen übergehen —"

„Ja — dafür ist vorgesorgt, zum Glück sind gut ein Drittel Steirer dabei, die werden sich — hahaha unter allen Umständen sofort ergeben!"

„Ich sag dir doch, es gibt Geschichten —"

„Ich freu mich schon drauf, einen kennenzulernen, der sie nicht nur erzählt, sondern auch erlebt hat."

Karel stand auf, schüttete sein Glas auf den Fußboden:

„Das ist mehr als die ratlose Verzweiflung, das ist ein Eingeständnis!"

Draußen deutete er auf die beleuchtete weißlakkierte Tür mit dem roten Kreuz:

„Vielleicht wäre es doch besser, ein Kunde von dem dort zu werden."

Hinter der Tür hielt ein italienischer Sanitätsfeldwebel Malaria-Mücken in einem Einsiede-Glas, auch Gonokokken waren bei ihm zu haben und ein ekelhafter, den Gaumen pelzig zusammenziehender Saft, der ruhrartige Erscheinungen und eine Art Gelbsucht hervorbrachte.

Hugo runzelte die Stirn, preßte die Lippen zusammen, als grüble er über ein Problem, das ausgebreitet und bis ins letzte durchschaubar, vor ihm lag. (In der ausweglosen Verlegenheit, dem schamvollen Bemühen, sich zu erklären und es zu entschuldigen, zu begründen, daß er blieb, noch bleiben durfte, während Karel — —)

Karel beobachtete ihn abschätzend von der Seite her; plötzlich sahen sie einander in die Augen. Das Abweisende in Karels Gesicht, noch immer ein wenig im Widerschein ihrer Zusammengehörigkeit, und die Fremdheit in Hugos Zügen — vielleicht doch bis zu ihr hinführend, obwohl auch nur ihren Namen zu nennen jetzt unmöglich wäre. Zwei, drei Augenblicke — — Karels Ironie verzichtete auf jede Kulisse; er tat einen langen Schritt voran, so daß Hugo folgen mußte, überquerte die Straße, wählte sichtlich den Umweg, der am Rathaus vorbei in der entgegengesetzten Richtung nach Casa Bori führte.

Die dunstige Feuchtigkeit war wie stark riechender Schweiß, den die Dinge hergaben, die Häuser, das Pflaster, der Berg. Die Bäume hingen tief hinein in die dickflüssige Bläue, sie rann die Stämme der Platanen und Palmen entlang, schwemmte handgroße zerschlissene Sterne herab, es roch nach warmem Tierkot, Holzkohle, leeren Weinfässern.

Ein körperlich peinigender Widerspruch: keine Menschen, trotz der Abendstunde niemand, der Platz, die Straßen ausgeschöpft, unheilbrütende Verlassenheit. Hugo dachte an die ersten Wochen zurück, das Gewoge, die zahllosen Geräusche aus unvorstellbaren Quellen des Lärms, grell durchstochen und nachgiebig durchflutet von den Lichtern, als bedeute die Nacht eine Steigerung in die äußerste Vitalität, in die Raserei, in die Erschöpfung ... die lähmende Ruhe der Morgenstunden, der kalte Schweiß auf dunklem gekräuseltem Haar, auf reglos erschlafften Gliedern. Hugo sprach leise, aber stieß die Worte sonderbar hervor, um ihnen Gewicht, vielleicht sogar Glaubwürdigkeit zu geben:

„Auch mit seinen geheimsten Wünschen so eingestellt sein, daß man seiner Chance folgt — darauf kommt's an. Der Rest ist gute oder schlechte Laune, Stimmungen — —"

Karel gab einen sonderbar zischenden Laut von sich, wie ein Pfiff, als sei es das einzige, das sich an verächtlicher Gleichgültigkeit noch ausdrücken ließ.

Nun, da sie die Front des Rathauses passiert hatten, wendete er sich wieder Hugo zu:

„Die Tafel da liest du wohl nie?"

Karel ging ein paar Schritte zurück, die schwarze Fläche (wie eine Schultafel) hinterm Drahtgitter war fast bis hinunter mit roten Zetteln beklebt, anfangs hatte auch Hugo sie öfter durchgesehen. Es wurden ihrer ständig mehr ... jeder Zettel enthielt die Bekanntgabe des vollstreckten Urteils; immer das gleiche „durch den Strang", „durch Erschießen", auch die Vergehen boten keinerlei Abwechslung, „Sabotage", „Spionage" —

Karel zeigte auf den vierten Zettel unten in der vorletzten Reihe.

„Irene — —"

Hugos Schulter zuckte wie unter einem Schlag. „Richtig", sagte Karel, „sie hat tatsächlich Irene geheißen, wenigstens das. Nämlich ... diesmal hatte sie die richtigen Pläne mitgenommen, aber er ist ihr noch rechtzeitig draufgekommen. Sie hatte die Grenzstation gerade erreicht — —"

Und nun hätte er auf der Stelle ab- und ausziehen können, Gloria, Viktoria. Wozu sollte Hugo sein Gesicht noch länger ertragen? Unter einer Gewalt, die weit mehr vermochte als er selber, kehrte Hugo ihm abrupt, wortlos den Rücken.

V

Als bestünde die Erwachsenheit, der rätselhafte Zustand des vitalen Gipfels, das, von dem man erwartete, daß es endgültig und unabänderlich sei — als bestünde es darin, die mit brennender Erwartung ausgeschmückten Bilder seiner Jugend zu verleugnen. Man lebte für die eigentlichen unverrückbaren Werte, sie zu erreichen war der Sinn, aber man blieb unterwegs stecken (merkten sie es tatsächlich nicht oder taten sie nur so?), man meinte die Liebe und fand Irene, man eröffnete sich der Freundschaft und gewann Karel, man suchte das Opfer und geriet hungrig und verlaust auf einem Rübenacker in eine Maschinengewehrgarbe, man bekam Briefe von daheim, diesem mit undurchdringlichen Palisaden abgegrenzten Bezirk der Vertrautheit, des von jedem andern unerlebbaren Intimen, Briefe mit zweideutigen Ratschlägen und dem Auftrag, endlich Onkel Eduard aufzusuchen. Des Vaters Zukunftshoffnungen — Avancement und Hinterlandsposten, es ließ sich kaum patriotischer und andeutungshafter umschreiben und lag nur an Hugo sie zu erreichen.

Was konnte jämmerlicher sein als der väterliche Ernst vor Dingen, nach deren Nützlichkeit er sich längst so zweckmäßig eingerichtet hatte, daß es ihm bereits selber vorkommen mußte als glaube er an sie. Die geschiedene Pless-Neuroth, die Pferde-Neuroth, Siegerin in soundsovielen Provinz-Rennen, Vaters „Eigentliche", bei der er sich jetzt, wie Mutter schrieb, „Tag und Nacht" aufhielt, nützte die Situation, sich als Wahlmama aufzuspielen.

Hugo war erstaunt. Hatte der Krieg und der Pflichtgruß in dem Brief an den Vater die Erinnerung an seine Miene wirkungslos gemacht? Die Neuroth stand vor ihm, eine harte Schimmelstute, er merkte, sie hatte bereits einen Anlauf genommen, nun konnte ihr die abweisende Entschlossenheit, mit der er den Blick hob, nicht entgehen. Trotzdem gab sie noch nicht auf:

„Ja, Hugo, es ist eben so, seit ich dich kenne, ist mir als hätte ich einen —"

Hier genügte die Beschäftigung mit den Handschuhen (immer brüchige, maßlos abgenützte Reithandschuhe) oder der Zigarette nicht mehr, sie verschluckte das Wort, bannte ihn, brachte ihn wieder unter sich, indem sie die Reitgerte fallen ließ. Während er sich gehorsam bückte und mit allzu lautem Lachen hochkam: „Sie richten Ihre Scherze zu sehr für die kindlichen Jahrgänge ein."

Er fühlte, sie würde zurückweichen, sich im Neutralen halten. „Ich bin kein Sohn, nicht nur nicht der Ihre, sondern überhaupt keiner. Da schon eher — —"

Dies war der Augenblick, nah an sie heranzutreten, ihr auf den Mund zu sehen (sie wußte, was er dachte), einen übergroßen zerschlissenen Mund mit kräftigen gelben Zähnen; die vielen dünnen weißblonden Härchen auf der Oberlippe und am Kinn, der Mund war eine Obszönität, das Thema, das sie ausgiebig kannte, wo sie empört und geschmeichelt auf die beabsichtigte Mütterlichkeit verzichtete.

Wenn er sich überwand, ihr den Kopf zurückbog, würde sie —? Er wußte, es blieb in ihm stecken, drang nie nach außen — er versänke in abgrundtiefe Verlegenheit.

Inzwischen brachte sie sich in Sicherheit:

„In manchen Augenblicken erinnerst du verblüffend an den Papa —"

Es dauerte nicht lange, und sie ritt bereits wieder den braunen Hengst ihrer Erfolge. (Wirklich i h r innerster Wunsch oder wollte sie es nur dem Vater zuliebe? Da es nicht möglich war, das Kind in den eigenen Uterus zu praktizieren — vielleicht bot es Aussicht ihm einzureden, daß es die Vollendung wäre, wenn er von dorther käme?) Im Falle die Mama davon wüßte, würde sie auch dazu schweigen? Sensitiv und widerstandslos zog sie sich zurück — wohin? Wie tief war dieses Ich, oder bezog sie die Möglichkeit der Selbstbehauptung noch immer von dem Mann, der auch jetzt noch mit ihr das Schlafzimmer teilte und sein Vater war?

Bis der Abschied es offenbar machte.

Sie schien in den letzten Jahren noch kleiner geworden, ihre Hände fühlten sich immer etwas rauh an, wenn sie mit ihnen über seine Wange strich. Die Augen zu schließen und wortlos über seine Wange zu streichen, war wie eine feststehende Zeremonie, ein Symbol, das immer häufiger wiederkehrte. Sie schwieg — doch als er einrückte, dieses Aufbäumen, der Schrei, der sich nicht ersticken ließ, das Ungestüm, mit dem sie ihn an sich drückte.

War Resignation eine Kraft, etwas, wovon man leben konnte?

„Geh nur, geh, ich bin schon wieder bei mir. Jaja — hier und da überschätzt man es eben, aber im Grunde... ist es nicht gleichgültig, auf welche Weise man immer einsamer wird?"

Ein Abschied von der Familie, den Verwandten, die Dienstboten im Hintergrund, bei dem das Fernstliegende an erregten Vergeltungswünschen aufschien, an Angriffslust und rachsüchtigen Verwundungsabsichten durcheinandergeriet — die Szene dürfte für den Vater am peinlichsten gewesen sein, vielleicht weil er der einzige war, der sie annähernd verstand. (Keine Vorwürfe mehr, kein Aufbrausen. „Der Bub geht mir aus dem Weg, das machst du, deine weiche unnachgiebige schleichende Art.") Er sah von allem weg, kaute an seinem Schnurrbart, überließ es Hugo, für Abkürzung zu sorgen.

Und jetzt schrieb die Neuroth von Tante Melanies bevorstehendem Geburtstag (folgte Melanies genaue Adresse, sie lebte gegenwärtig bei einer Freundin, Schloß soundso auf dem Lande), während Onkel Eduard in der Festung ausharrte, von wo er alle drei Wochen ein Marschbataillon nach dem russischen Kriegsschauplatz schickte. Zuletzt das Paket warme Wäsche „Gib acht auf Dich, Deine Mutter." Vielleicht umschloß der Satz nur die Quintessenz dessen, was die andern, für seinen Fall schon zurechtgeschnitten, ihm vorstellten.

Die Argumente des Feldwebels Doleschall waren nicht nur deshalb einleuchtender, weil sie auf das unmittelbar Bevorstehende Bezug nahmen: „Ise unmääglich, total unmääglich, na, naa — —"

Von gefährlich überhaupt keine Rede, weil er ja

nicht durchkam, der Franzose, zuerst unsere schwere Schiffsartillerie, dann — „Kriegsschiff, Kanonenboot, Zerstörer — —?" geflüstert, vermutet, mit der Versicherung absoluter Zuverlässigkeit weitergegeben, von den Mannschaften der Forts und Küstenbatterien, die von Marine keine Ahnung hatten, mit seemännischen Fachausdrücken garniert, verleugnet und im unsicheren Zuwarten, im Bestätigung heischenden Blick oder der allzu lauten Sorglosigkeit wieder zum Vorschein gebracht, mit jedem Tag ein Stück möglicher, wirklicher, unabwendbarer.

Vielleicht waren nur die besonders früh einsetzenden Nebel schuld, sie schlugen alle in ihre graugrünlichen, braunen oder federig weißen Plachen, lösten sie aus jedem Zusammenhang. Man war plötzlich allein mit seiner Batterie, seinem Fort, dem Stück Straße oder Strand, zwanzig Schritt ringsum begann das Nicht-mehr-Erkennbare, vielleicht schwebte man, vielleicht hatte es einen schon ins Unbekannte entführt. Es kam näher und wenn es ganz da war, versank man einfach — Meer oder Himmel, die gleiche Art einen auszulöschen.

Jeder wußte, es war falsch, war als setze man mit krampfhaft fingierter Angstlosigkeit den Erstickungstod im Bett gegen diese hilflose Tortur, daß es einen traf und schmerzhaft verletzte von irgendwoher ungezielt und (es ließ sich nicht anders denken) unbeabsichtigt, von Nichtwollen zu Nichtwollen überspannt von dem raschen Bogen des Zufalls.

War es die sichtbare Darbietung von Gottes grausam-irdischer Hand, der Beweis, daß alles in ihm vorbestimmt und beschlossen ist? Nichts war es und wenn es Gottes Hand war, hatte sie die kalte klebrige Feuchtigkeit des Herbstmorgens, sogar die Sonne war ohne Wärme und lag gedunsen auf den Bergkuppen, blaßgelb, konturlos, schwer wie Öl. Nach ein paar Minuten erstickte sie unter der schleimig farblosen Masse, die unaufhaltsam den Himmel überschwemmte und es gab nichts als den pochenden Herzschlag, das Atmen in einem riesigen luftdünnen Raum, die Angst.

Es dauerte, bis sie schließlich den kühlen trockenen Boden spürten, auf dem sie im Gebüsch lagen. Bereitschaft und wieder Bereitschaft, die Tage und Nächte waren darin aufgeteilt, das einzige Symptom, daß jenes französische Kanonenboot oder was es sein mochte, noch immer irgendwo da war, eine Gefahr, von der es nicht den geringsten Beweis, überhaupt kein Zeichen gab. Die Witze über den Onkel Eduard und den Hafenadmiral, die diese Bereitschaften anordneten, wurden zahlreicher, es war längst überflüssig, dabei die Stimme vor den Offizieren zu senken. Hugo beschloß beim Onkel Eduard endlich Besuch zu machen, vielleicht würde er so aus verläßlicher Quelle erfahren, warum sie die halben Nächte draußen im Frost lagen, während die zähe Masse ihnen zu Häupten immer niedriger wurde, die angeblich die aufkommende Bora bedeutete.

Aber als Hugo in den Marktplatz einbog, regnete es zum erstenmal, ein scharfer Wind trieb ihm die glasharten Tropfen schräg ins Gesicht. Sich unter dieser Bora das Harmloseste vorzustellen, hinderte nur der unruhige grelle Widerschein auf Häusern und Himmel, das sonderbare Leuchten wie von einem nahen Unwetter ohne Gewitter (dabei dennoch am ehesten als Reflex eines Gewitters denkbar), niemand war da, der darauf achtete, am allerwenigsten der Onkel Eduard, der gerade an der Spitze eines breiten Keils von Offizieren auftauchte, den rotgefütterten Mantel offen, die goldene Feldbinde schimmernd über den runder gewordenen Bauch, als sei sie der geheime Ausgangspunkt und Ursprung des unnatürlichen Lichtes ringsum, strebte er, jovial mit dem Reitstock gestikulierend, der Kommandatur zu.

Hugo wartete bis die Gruppe im Tor verschwunden war, ganz langsam näherte er sich, der Regen war stärker geworden, plötzlich spürte er ihn durch die leichte Bluse auf Rücken und Schultern. Warum wollte er da hinein in dieses überlegen-feindselige Gebiet, in diesen eingebauten Glaskasten, in dem alles vom Onkel Eduard abhängen würde und nichts auf ihn wartete als die verächtliche Neugierde der Adjutanten? Und mit einem Mal sprach der Posten aus, deutlich, energisch und sogar in deutscher Sprache, was eine mit Worten gar nicht faßbare Einsicht ihm immer schärfer zu Bewußtsein brachte. Als wäre es die Stimme der Mauern vor ihm, hinter denen er nichts anderes erfahren würde als Abweisung und seine völlige Bedeutungslosigkeit.

Der Posten sagte plötzlich (vielleicht nach einigem Zögern, durch die schwarzgelben Streifen an seinen Ärmeln unsicher gemacht):

„Halt! Der Zugang ist verboten." Und weil Hugo

fast erschrocken stehen blieb, im merklich veränderten Ton: „Schauen Sie, daß Sie weiterkommen, aber fix!"

Hugo drehte sich auf der Stelle um, ging automatisch direkt nach Casa Bori, meldete sich zurück, wurde noch für die Abend-Bereitschaft eingeteilt. Sie waren auf halber Strecke zur Gebüschzone, ungedeckt und ungesichert auf dem von den Pionieren verbesserten Karrenweg, da geschah es: unglaublich rasch, auch nachher kam es ihm vor als habe es kaum eine halbe Minute gedauert. Er dachte zuerst an abstürzende Flieger, aber es hätten mehrere sein müssen, ein Krachen, als würde Stahl und Granit auseinander gesprengt, ein Windstoß, der vielen die Kappe vom Kopf riß, er stand sprachlos da, buchstäblich ohne die vagste Vorstellung von dem, was geschah, während die Offiziere und Unteroffiziere „Deckung, nieder, nieder!" brüllten.

Die meisten lagen auch bereits auf dem verbrannten Gras oder im Staub des Weges, nachher erinnerte sich Hugo, daß manche die Hände überm Hinterkopf gefaltet hatten, während sie die Stirnen auf die Erde drückten. Ihnen allen geschah nichts, die Granaten hatten den niederen Haselbüschen gegolten oder denen, die darunter „in Bereitschaft" lagen. (Granaten? Etwas viel wirkungsvolleres, d i e s e Resultate, „eine ganz neue Erfindung"?) Vielleicht nicht mehr als ein halbes Dutzend Geschosse, die genaue Zahl war nicht festzustellen, sogar von der Marinestation gingen mehrere Variationen aus, aber sie hatten dorthin getroffen, wo die Leute sich um Weinflaschen, Spielkarten zusammendrängten oder Leib an Leib unter Mänteln und Schlafdecken dösten, offenbar waren sie gar nicht erwacht und zum Bewußtsein der Situation gekommen. Jetzt gehörten sie endgültig zu den zerrissenen Laubkronen, den zerbrochenen und entblätterten Haselstangen, den herausgewühlten Wurzelstöcken.

Hugo war unfähig sich zu rühren, sich an dem zu beteiligen, was sie später Rettungsaktion nannten (das Einsammeln der abgerissenen Köpfe, Kiefer, Arme, Beine, der Rumpfstücke, die zusammen mit den Uniformfetzen in den kahlen Astgabeln hingen.) Eigentlich sah Hugo nur auf die Kartenpartie, auf das, was eine Kartenpartie gewesen und von ihr übrig war, ungefähr zwanzig Schritte entfernt, also mußte er, ohne es zu wissen, dennoch mit den andern hingerannt sein, um zu sehen, daß es nichts zu helfen gab; die Leute waren unvorstellbar zugerichtet. Aber natürlich gab es auch Verwundete, brüllend mit einem Arm- oder Beinstumpf zuckend, Hugo sah nur diesen kleinen Umkreis, eben die Kartenpartie, vielleicht überschätzte er deshalb den Umfang, der sich über kaum fünfhundert Schritte erstreckte. Als Inbegriff des Entsetzlichen (das die Lähmung, die absolute Bewegungslosigkeit, die Erstarrung des Nicht-Könnens hervorrief) erschien ihm nicht ein auffallend magerer Tscheche, der unter diesem sonderbaren Geräusch, einem winselnden Pfeifen oder pfeifendem Winseln, pausenlos, mit einem durchdringenden gellenden Herausstoßen des mühsam heraufgeholten Atems sich die Gedärme in die aufgeschlitzte Bauchhöhle hineindrückte, sondern den heftigsten Eindruck machte der andere, Hugo glaubte sich zu erinnern, ein älterer Jahrgang, auffallend niedere breite Stirn, kräftiger dunkler Schnurrbart, dem der Unterkiefer weggerissen worden war, dessen Zunge klobig verdickt, wie geschwollen, mit überraschender Schnelligkeit auf und ab ging, wobei er ein sicherlich nicht lautes Gurgeln, wie die Unruhe des blasigen Blutschaums hervorbrachte, der ihm breiig aus dem Schlund quoll, Hals und Brust bedeckte. Aber die Zunge blieb weiterhin in Bewegung, übrigens bald langsamer werdend, der Mann verblutete rasch, als Hugo sich wegwandte, der Hornist blies schon ein paar Minuten zum Sammeln, war er bereits still.

VI

Vielleicht war nur der laue, in schwankenden breiten Bändern wie taumelig dahinziehende Nebel schuld, der unvermutet die Atmosphäre ersetzte, einem hier an der Küste noch am flüssigsten vorkam, während er mit der Entfernung vom Meer zu den Bergen hin so an Konsistenz gewann, daß es den Anschein hatte, er mache das Atmen unmöglich.

Damals liefen die Legenden von den Zerstörungsmitteln „der andern" noch nicht um, aber die Ansätze waren da, „Geschosse von besonderer Brisanz?" „Sie sind darin weiter als wir —?" „Ja, wenn wir — —." „Wenn —!" „Jedenfalls würde es bei uns sofort verraten!" Vielleicht gehörte auch das sozusagen als Schattenseite zu der umgestülpten Welt, in der sich viele sichtlich wohl fühlten — kommandieren, wenn auch nur zwölf Mann ... hoch aufgerichtet, die zwölf vor sich, sie liefen, rannten zurück, schwenkten rechts, schwenkten links, schleuderten die Beine im Paradeschritt, Hugo setzte alles daran, sich mit der größten Genauigkeit seiner ältesten Spielsachen zu erinnern, die Automaten-männer bewegten sich, knieten, lagen, ließen die Arme kreisen — eine ferne blasse Annäherung an die Wirklichkeit, nach einigen Minuten schon fade, weil die paar Umdrehungen der Feder unter allen Umständen die bekannte Folge hervorbrachten, während auf dem Exerzierplatz ein der Langeweile auch nur verwandter Zustand gar nicht aufkommen konnte. Die Gesichter verbargen das persönliche Le-ben und erregten dennoch die Neugierde, vermittel-ten lautlos die Gewißheit, daß es schlagartig hervor-brechen würde, noch ein Kommando — sie warfen sich nieder, sie krochen auf allen Vieren, sie wühlten sich durch Pfützen — — wann kam es? Müdigkeit, Widerstand, Ekel, Haß, Wut — nichts davon wagte sich je ans Licht. Und jetzt, seit der dreiviertel Mi-nute der Granattreffer, wußte er: d a s war der Sinn, die Krönung des Agierens; alles Mechanisie-ren war nur dazu da, damit dieses Ende, dieser Ab-schluß möglich wurde für den —

Auch Karel sagte:

„Für den Ernstfall — anschaulich genug, wie?"

Hugo schob die derbe, zu stark nach Desinfektion riechende Decke zurück, setzte sich aufs Bett. Karel warf sich nervös hin und her, fuhr sich immer wieder durch's Haar, zum ersten Mal hatte Hugo das Gefühl, daß er von etwas tiefer betroffen war als er zugeben wollte.

„Nervenschock! Nicht die kleinste Verwundung, lang wird's nicht vorhalten. Ein paar Dutzend hat der Regimentsarzt gleich hinausgejagt. Aber ich hab mal was darüber gelesen, viel zu flüchtig, eigentlich nur so überflogen. Teufel, wie hätte ich ahnen sollen, daß ich 's je für mich brauchen würde."

„Na, das nächste Marschbataillon bleibt dir erspart, wenigstens das! Wir sorgen dafür, daß der ‚Ernstfall' daheim stattfindet."

„Komisch — endlich sagen wir ‚Ernstfall', als ob wir nicht längst mitten drin wären, alles was hier geschieht, ist doch ‚Ernstfall'."

Vom Ernstfall hatte auch Onkel Eduard gesprochen, als Hugo ihm gegenüber saß. Auf eine dunkle zwingende Weise hing der Besuch mit dem „Ereignis" zusammen, das nichts weniger als der äußere Anlaß war. Hugo hätte sich gewünscht, Tante Melanie an der Seite zu haben (ihre absprechend verächtliche Geste, ihr deprimierend verzeihendes Lächeln, während sie höhnisch die Schultern hob, die Hände resigniert sinken ließ. „Natürlich, das konnte nur dir passieren, es ist eben nicht lernbar, deshalb mußte es genau so geschehen"). Heute entgegnete Hugo dem Posten:

„Wozu brauchen Sie überhaupt zu wissen, was ich da oben zu tun habe?"

Vielleicht daß es Hugo ins Unrecht setzte, aber ehe der Posten noch erwiderte, flog klirrend, mit kautschukhafter Elastizität ein Ulanen-Oberleutnant die Treppe herab (funkelnd-farbig, mit einer Taille, vergeblich würde man sie in einem Journal suchen, die Zeichner wissen, daß es solche Taillen nicht gibt). Er mußte Hugos Antwort gehört haben, aber er lächelte amüsiert.

„Der Neffe —?" fragte er und bemerkte gar nicht, daß Hugo vergaß Haltung anzunehmen, offenbar besorgte das der Posten für sie beide, in der Verwirrung ging Hugo sogar zwei, drei Stufen auf der rechten Seite, der Oberleutnant merkte auch das nicht.

Eine alte breite Treppe, der Porphyr glänzte an manchen Stellen schon schwarz, sichtlich ein Palais mit den feudalsten Ansprüchen, nicht unbedingt aus dem 18. Jahrhundert (das Stiegenhaus viel zu Makart-artig, das Ganze zu sehr auf Eindruck angelegt), mit einem Podest im ersten Stock wie ein Saal, Türen nach allen Seiten, Posten davor, unbeweglich wie die Zinnsoldaten, nichts hinderte Hugo, sich der Täuschung hinzugeben, es sei nicht nur für den Oberleutnant, sondern auch ein bißchen für ihn, den Neffen, wobei er sich seiner Erregung bewußt wurde, es herannahen fühlte — unwiderstehlich sanken Kulissen wie graue Vorhänge dahin, geriet der Blick näher zum Kulminationspunkt ONKEL EDUARD in seiner Herrlichkeit, ein überraschend neuer, ein unerhörter Aspekt, der Tante Melanie einfach hinwegwischte, die Fülle SEINES Glanzes umfing Hugo gnadenspendend, er verstand nicht gleich, was Onkel Eduard sagte (denn ein Saal und noch ein Saal, ein riesiger Marmortisch mit weißen

Tüchern bedeckt, Platten, Schüsseln, Flaschen, Wild, Geflügel, schimmerndes Enten- und Fasan-Gefieder, Kognak, rot versiegelte Weine und noch mehr strahlend etikettierte Flaschen, ein Major, der entgegenkam, Hugo, die Kappe in der Linken, produzierte ein Höchstmaß, eine Zirkusnummer an Haltung, seine Absätze klangen wie wenn ein Schmied mit dem Hammer an eiserne Reifen schlägt, der Major lächelte gönnerhaft, und noch ein Major und zwei Rittmeister, aus dem Ei gepellt und obendrein noch lackiert, die Posten standen ein paar Minuten noch steifer, unmöglich zu sagen, wie sie es zustande brachten).

Hugo starrte Onkel Eduard an, der den Fauteuil ihm zugewendet vor den Terrainkarten saß, ein Landwehrmann, ein gewöhnlicher Schütze vor seinem Divisionär an einem wahrhaft monumentalen Schreibtisch, monumentale Entscheidungen fällend, Hugo kam sich völlig undefinierbar vor, offenbar aus einem andern Stoff, ebenso aus Holz oder Zinn wie die Posten ringsum, in seinen Ohren brauste es vielleicht doch ein wenig stärker als er wahrhaben wollte, so daß er nicht verstand und als er verstanden hatte, zunächst n i c h t b e g r i f f, was Onkel Eduard meinte. Onkel Eduard wiederholte:

„Kommod, mein Lieber, immer kommod!"

Und weil Hugo sich nicht rührte, setzte er hinzu:

„Alsdann, du schaust ganz passabel aus."

Nun kam es genau so, als ob die Traumwirklichkeit die allzu naturalistische Exaktheit der Szene nicht mehr ertrüge und dem schmerzhaften Schock des Erwachens zutriebe. Wahrscheinlich hatte ihn

Onkel Eduard schon ein paar Mal aufgefordert, vielleicht hielt das Brausen in seinen Ohren immer noch an. Plötzlich ging der Oberleutnant zur Wand und die herbeistürzende Ordonnanz mit dem Blick zurück zum Türpfosten dirigierend, ergriff er einen der weiß und golden eingefaßten violetten Polsterstühle, knochenlos, geradezu schwebend, eine silbern rotblaue Luftspiegelung, balancierte er ihn hinter Hugo, der Einladung Onkel Eduards sichtbaren Ausdruck verleihend. (Hugos Dienstzeit war zu kurz, er wußte noch nicht, daß es die Aufgabe des Adjutanten ist, zu tun, als würde er die Wünsche seines Generals augenblicklich mit einem Realisationsgrad erfüllen, der ihnen nicht nur möglichst nahekommt, sondern sie sogar überholt und ein wenig hinter sich läßt.)

Vielleicht fanden die Adjutanten, der Raum sei groß genug als daß es nötig wäre, sich zu entfernen, sie zogen sich an die Wände zurück, betrachteten mit routinierter Ablenkung die aufgehängten Karten, ja der Major machte sich sogar an der Seite gegenüber auf dem riesigen Tisch zu schaffen, suchte unter einem Haufen von Blättern eine Planskizze hervor, mit der er sich zu aufmerksam, zu angestrengt befaßte, als daß sein Interesse Hugo glaubwürdig vorgekommen wäre.

Onkel Eduard strich sich den Schnurrbart, ganz am Rande entging es Hugo nicht, daß Onkel Eduard es genoß, sich ihm in seinem militärischen Milieu zu zeigen, aber Hugo dachte krampfhaft ständig dasselbe: unmöglich, daß ich es sage, ausgeschlossen ihn zu fragen, warum das Bataillon in dem Ge-

büsch ... wo es doch nichts zu suchen hatte, weil
eine Landung überhaupt nicht beabsichtigt war —
einfach Wahnsinn gewesen wäre — wie soll ich
hier ... sie hören ja jedes Wort, warum schickt er
sie nicht hinaus — —

„Also vergiß nicht, erzähl der Tante Melanie,
daß du hier gewesen bist. Die möchte nämlich gern
kommen —", er rückte an seiner goldenen Feldbinde, sah Hugo mit triumphierendem Zwinkern in
die Augen, „aber kann ich es ihr denn erlauben?
Meine Herren kriegen für ihre Damen auch keine
Passierscheine, das Beispiel macht es, du verstehst —."

„Jawohl, Onkel Eduard!"

Noch immer ein wenig traumhaft; dabei wurde
er sich der Sonderbarkeit dieses Jawohls, seines
fremden Klangs, sofort bewußt — das bisher einzige Mal, daß er Onkel Eduard zugestimmt hatte.

„Ja — so is es, die Melanie stellt es sich halt ein
bisserl zu einfach vor. — Na — wie geht's denn
bei dir?"

Einfach „gut" sagen, auch dem leisesten Anschein
des Konfliktes aus dem Weg gehen? Hugo zögerte —

„Wie is denn die Menage?"

Hier würde sich das jede Reibung ausschließende
Wort nicht vermeiden lassen.

„Denn siehst du, die Menage —"

Hugo sagte endlich:

„Für mich ist das nicht so wichtig."

„Oho", erhob Onkel Eduard die Stimme, „die
Menage is nämlich das Wichtigste, gerade im Ernst-

fall wie wir ihn jetzt haben. Denn so is der gemeine
Mann, menagiert er gut, kämpft er gut."

„Wenn er beim Menagieren nicht gestört wird;
zum Beispiel vor einer Woche in der Gebüschzone
die Volltreffer — —"

„Deshalb sorg ich in erster Linie für eine gute
Menage, meine Herren wenn du fragen tätst —"

Onkel Eduard ließ den Blick über den Tisch und
die Wände entlang gleiten, plötzlich hatten alle ihm
zugewandte, lächelnd devote Gesichter, als hätten
sie aufmerksam zugehört und könnten nicht anders
als ihre unwillkürliche Übereinstimmung sichtbar
machen, das Lächeln brach sozusagen wider Willen
aus ihnen hervor, niemand, am allerwenigsten Onkel Eduard, durfte ihnen diese Art tiefinnerlicher
Zugehörigkeit und Anhängerschaft übelnehmen.

„Ja", sagte Onkel Eduard, „die Menage —"

Er beugte sich dabei zur Seite und Hugo sah die
halbvolle Rotweinflasche und das Glas hinter ihm.
Onkel Eduard betrachtete die Flasche unschlüssig,
seine Hand hielt inne, aber plötzlich vollendete er
die Bewegung, schenkte ein, langte nach dem Glas.
Die Ordonnanz an der Tür starrte mit Anstrengung
herüber, der Kautschuk-Adjutant hatte sich lautlos
von der Karte abgewendet, eine einzige, den ganzen
Körper erfüllende Sprungbereitschaft (der Hund,
dem sein Herr einen Platz angewiesen hat und der
auf einen Wink, einen Blick wartet, um diesen Platz
verlassen zu dürfen, herbeizueilen, wedelnd, in
einen Taumel ausbrechend).

Onkel Eduard sah noch immer auf das Glas in
seiner Hand und dann auf Hugo in seiner vom

Kompagnieschneider verbesserten Kommißbluse, in den schweren Schuhen ... als dämmerte in der Ferne, an einem Horizont, so weit weg, daß es ihn schon fast gar nicht mehr gab, die ungeheure Distanz zwischen dem gewöhnlichen Landwehrmann, wenn auch mit schwarzgelben Börtchen, und dem Divisionär — eine unendliche Strecke kühlen Raumes, ein Nichts am Beginn und eine Aureole golden flimmernden Widerscheins, der die Person verbirgt, sie anonym macht, am Ende. Da sagte Hugo:

„Ich werde es der Tante Melanie genau erzählen, schade, daß sie nicht dabei ist, die würde Augen machen."

Die Veränderung im Gesicht Onkel Eduards war kaum spürbar, jedenfalls höchst flüchtig, aber der knochenlos Schwebende mit der blau funkelnden, vom schwarzgoldenen Kartusche-Riemen diagonal geteilten Brust hatte sie erfaßt und sofort richtig gedeutet. Wie bewegte er sich eigentlich? Am Buffet vorbei ... er war bereits da, während die Ordonnanz es nur zu einem kurzen Ansatz des Herbeistürzens brachte, war zu einer imponierend militärischen Erscheinung verdichtet, hatte ein wenig salopp das Glas vor Onkel Eduard hingestellt, die silbernen Sporen brachten einen hellen, diskret nachklingenden Glockenton hervor, das Lächeln Onkel Eduards warf sein Spiegelecho auf die anwesenden Gesichter, entschlossen füllte er das Glas, reichte es Hugo.

„Alsdann", sagte er, das seine zum Anstoßen bereit haltend, „alsdann Prost!"

Dennoch war die Szene in ihrer Vertrautheit eine Zäsur zu etwas ganz Neuem, Hugo wußte noch nicht, ob die Adjutanten den Wandel spürten, sie beschäftigten sich nun noch konzentrierter mit den Karten an der Wand und auf dem Tisch, in dem weiten Raum war plötzlich eine Stille, schwang ein Echo, auch das geflüsterte Wort modulierend, jede Silbe mit einer Deutlichkeit hörbar — wie Wassertropfen, die in genau bemessenen Abständen auf eine metallene Platte fallen. Als befände sich Hugo mit Onkel Eduard in einem isolierten Bereich militärischer Überordnung wie in einem riesigen Glaszylinder, der das Mithören zwar nicht ausschloß, aber wirkungslos, ja gleichgültig machte.

„Damals als der Franzose ... nur weil ich zu dir heraufkommen wollte, mir frei genommen hatte, war ich nicht dabei — — sag, mußte das — —"

„Aha ... also es interessiert dich, du beschäftigst dich mit taktischen Fragen?"

„Nicht gerade das. Die Verluste —"

„Mein Lieber, heut wenn wir Verluste sagen, denken wir an andere Ziffern."

„Die Strecke bis zum Meer, drei Kilometer nackter Wiesenboden, dann der Strand waren klar überschaubar, an eine Landung nicht zu denken. Wenn sie nicht in dem Gebüsch gelegen wären ... und sie mußten nicht dort sein, es war überflüssig —"

Onkel Eduard lächelte verzeihend:

„Und doch war es überlegt —"

Er tippte sich an die Stirn und senkte flüsternd die Stimme, Hugo fühlte in der Sekunde, wie die Distanz zur Umgebung größer wurde, die Adjutanten sich zurückzogen. Der Major begab sich nach hinten, wo er seine Planskizzen mit der aufgehängten Karte ausführlich verglich, auch die Offiziere an den Wänden hatten einander plötzlich Fragen zu stellen, ihre Routine, sich mit etwas völlig anderem zu beschäftigen, nicht da zu sein, war vollendet, beschämt erkannte Hugo die Überflüssigkeit seines Wunsches, Onkel Eduard möge sie fortschikken; Onkel Eduard schob sein Glas hin und her als erläutere er eine schwierige taktische Frage:

„Denn siehst du", sagte er, „die Mariner — —"

Argwöhnisch, fast ein wenig ängstlich starrte er vor sich hin, als hänge tatsächlich auch für ihn etwas Maßgebliches davon ab, ob er verstanden würde. Schließlich sahen sie einander an, die gleiche Ratlosigkeit in den Gesichtern. Onkel Eduard verlor sich völlig in diesem Schweigen. Endlich räusperte er sich, aber es half nichts, die Heiserkeit wollte nicht schwinden.

„Du verstehst das eben noch nicht, woher auch!"

Wie hätte er dem Buben klarmachen sollen, daß den Marinern überhaupt nicht zu trauen war? Hätte er gestehen sollen: der Montesani ist nur darauf aus, mich hineinzulegen? Meinen Vorgänger hat er so eingetunkt, daß er gegen die Serben abkommandiert worden ist. Jeder weiß, wie das für ihn enden wird. Wenn ich die Haselsträucher nicht besetzt hätte, den Bericht von dem Herrn Hafenadmiral — — na, du möchtest schauen! Ein „Glück-gehabt-General", nichts war vorbereitet, nicht einmal die Gebüschzone gesichert, der ganze Festungsgürtel leer —

Onkel Eduard sagte gewichtig:

„Ja, die Gebüsche waren besetzt, ausgezeichnet besetzt, es sind sogar Verluste da —"

„Überflüssige Verluste —", sagte Hugo rücksichtslos.

Onkel Eduard lächelte wie über die Einfalt eines Kindes:

„Meinst du? Kommt's dir so vor, ja? Na —" seine Hand fuhr die Lehne des Fauteuils herab als wollte er etwas ausstreichen oder weglöschen, vielleicht auch sollte sie nur seine Gleichgültigkeit bezeugen. „Also die paar Verluste — — man sieht daraus wenigstens wie verflucht ernst die Sache war. Verluste von diesem Umfang machen ‚Oben' immer einen guten Eindruck."

Und nun war ein leise sirrendes Geräusch wie von einer abgestellten Glocke mit einem Mal deutlicher zu hören, wurde zu einem dünnen, aber intensiven Schrillen, das gleichmäßig, ohne Unterbrechung durch die Räume ging. Onkel Eduard horchte noch ein paar Sekunden, dann fragte er:

„Is er denn schon da?"

Der Ton sank herab zu einem kaum wahrnehmbaren metallischen Pfeifen von überraschender Wirkung: als beginne der ganze Raum sich zu weiten, erfüllt von dunkleren Lichtbahnen und im Vordergrund wie von plötzlich angedrehten Lampen durchstrahlt. Die Karten an den Wänden hatten überhaupt keine Bedeutung mehr, die Offiziere formierten sich rechts und links vom Fauteuil, manche blieben hinter dem Tisch und unmittelbar neben Onkel Eduard stand, als sei dies selbstverständlich und immer so gewesen, ein Oberst und auf der anderen Seite ein General.

Onkel Eduard warf einen erstaunten, unwillig

abweisenden Blick auf Hugo und während er dem Oberleutnant-Adjutanten einen indignierten Wink gab, hatte dieser bereits wie durch einen Zauber einen Unteroffizier herangebracht (als sei Hugo durch ein unvorhergesehenes Ereignis zu gering, zu nichtig geworden, um sich persönlich mit ihm zu befassen). Inzwischen war der Adjutant in einem geradezu unirdischem Entschweben die Treppe hinabgeglitten und auch schon wieder zurück. Der Unteroffizier hatte Hugo noch immer am Arm gefaßt, nun zerrte er ihn empor, zog ihn mit sich fort. Hugo hatte eben begriffen, daß ihm die Haupttreppe jetzt verboten war, da stand der Ulanen-Oberleutnant — allen voran — bereits mitten im Saal, elastisch wie eine Feder, aufrecht wie ein Taktstock:

„Ex'lenz Cavaliere Montesani!"

Der Unteroffizier stieß Hugo durch eine Seitentür; es blieb ihm nicht mehr als ein Blick. Onkel Eduard hatte sich erhoben und streckte die Arme aus:

„Mein lieber Freund —", rief er.

Auch der andere, zwei, drei Marineure hinter sich, hatte die Arme geöffnet, aber Hugo hörte nicht mehr, was er sagte.

VII

Eine ausweglos bedrükkende Erinnerung voller Andeutungen des Schrekkens, denen die letzte Auswirkung ins Reale fehlte, die durch ihre Gestaltlosigkeit aber auch leichter ins Nicht-Aktuelle, Noch-nicht-Seiende, ja ins Vergessen zu verweisen waren: das Vestibule mit den Wachen, der düster-imposante Saal mit den Karten und Offizieren und Onkel Eduard selber, ER, am schwierigsten auszulöschen oder ins Bedeutungslose zu verwischen, ein ANDERER, der mit den Attributen seiner Uniform (in Tante Melanies schonungslosem Lächeln unabänderlich versinkend) immer wieder die Reste seiner Überlegenheit herausstellte, plötzlich gefährlich und unberechenbar, vielleicht sogar rachsüchtig, aber schon nach Tagen ins Abwesende, fast ins Nicht-Existierende gebannt. Ein Ereignis, worüber Hugo mit niemandem redete, weil sein innerster Kern und sogar sein Verlauf wahrscheinlich gar nicht mitzuteilen waren.

Dagegen blieb Mihic näher, tückischer, ihm war schwieriger zu begegnen, dieses Verhängnis hing nicht strahlend im Zenith, sondern unmittelbar über seinem und der andern Kopf, schon in Mihics Namen war alle Macht versammelt, die über sie entscheiden konnte. Aber wie hätte Hugo feststellen sollen, daß sie oder ob sie überhaupt Hilfen brauchte, um zum Beispiel gegen ihn, Hugo, wirksam zu werden, ihre vernichtende oder bewahrende Kraft zu entfalten? Dabei wohnte er der Auseinandersetzung Mihics mit dem Bauern Svetozar Krk aus nächster Nähe bei, er stand — es war kaum eine Woche her — mit Karel unter den Platanen vor der Regimentskanzlei, als Krk von dem bosnischen Riesen Hajro Jussuf Azna aus der Tür befördert wurde und vor ihren Füßen landete. Krk sprang sofort wieder auf, schüttelte die Fäuste gegen die offenen Fenster, und wenn Hugo auch nicht allen Flüchen und Verwünschungen, mit denen er Mihic bedachte, zu folgen vermochte, so erstaunte er wie noch jedesmal über die Phantasie und den kombinatorischen Reichtum solcher Ausbrüche. Krk steigerte sich in eine Besessenheit, in der er offenbar Umgebung, Zeit und Umstände vergaß. Plötzlich riß es ihn herum, er rannte ein paar hundert Meter weit, ehe er heiser vor Wut seine Orgie fortsetzte. Jetzt erst sahen die beiden, daß der Riese Hajro in der Tür stand und augenscheinlich Lust zeigte, sich von neuem mit Krk zu befassen. Gelassen stellte er Krks Vorsprung fest und verschwand wieder.

Wie hätte Hugo darauf verfallen sollen, daß die Szene mit ihm zu tun haben würde, ja für ihn von den einschneidendsten Folgen sei? Und an jenem Abend unter den Haselbüschen, als sie über den kahlen Wiesenring aufs Meer hinausblickten, war sie beiden längst entschwunden, keiner dachte mehr daran. Wenn dieses Schicksal (aber war es das?), die Schuld Karel gegenüber, die vor Hugo unabänderlich in die Höh wuchs, wenigstens greifbarer gewesen wäre, aber sie war nicht einmal wie Nebel, der gegen die Schläfen drückt, leicht wie Luft, farblos, gar nichts.

„Also übermorgen dein Marschbataillon —"

„Das Charakteristische an so einer Festung —", vielleicht war das Verächtliche in Karels Stimme überhaupt nicht vorhanden, aber die bewußt-energische Art, mit der er die Stimme hob, Hugo das Wort abschnitt, war keine Einbildung — „bleibt eben doch, daß sie sozusagen einfach nicht vorhanden ist."

Hugo beharrte:

„Wenn es in meiner Macht stünde — —"

Aber er folgte Karels deutender Hand; jaja, auch er kannte das längst, rings im ausladenden Bogen der Gürtel des Gebüschs, dann kilometertief nichts als baumlose Wiese, wieder eine Gebüschzone, in der ein paar langgestreckte Dächer (über Schuppen, Magazinen, Schafställen?) kaum sichtbar waren. Oft genug festgestellt: überall wo die dicht geschlossenen Fensterläden geöffnet wurden, kamen Geschützmündungen zum Vorschein. Merkwürdig flache Erhebungen, mit Erde gefüllte Metallverkleidungen, grasbewachsene eiserne Türfassungen und natürlich Posten, viel zu viele, überflüssig wirkende Posten.

Das Licht lag dunstlos glasig, noch immer grell über allem, im ersten Wiesenstreifen unmittelbar vor der Stadt waren die Bauern schon dabei, das Vieh einzutreiben.

„Strenger Befehl", sagte Karel, „die Strafen sind erhöht worden, sie haben heute nacht Krks Maulesel erschossen."

Welche Mächte hatten daran teil, welche gefährlichen Umstände brachte der Zufall hervor und wie erkannte man sie? Hugo konnte es sich oder Karel unmöglich zum Vorwurf machen, daß sie dem Geschehnis nicht genug, wahrscheinlich überhaupt keine Bedeutung beimaßen. Draußen erstickte das Meer in einer schwer bestimmbaren Gallerte zwischen apfelgrün und einem giftigen Lila, sie schob sich nicht heran wie Wolken, sondern wie etwas viel Körperhafteres, würde den Strand und die Stadt bis hinauf zu den Bergen überwältigen. Hugo fühlte, sie saßen auf dem Grunde dieser undefinierbaren Masse wie eingefangen in ihrer Feindschaft, Bösheit, ihrem unentrinnbaren Selbstverschulden, aus so vielem zusammengemischt, unmöglich eines jeden Teil herauszusondern, vielleicht würden sie deshalb binnen kurzem immer vergeblicher nach Atem ringend auf eine unsagbare Weise ausgelöscht — beide zugleich, damit ihre Rivalität und jeder Konflikt zu Ende sei.

Hugo beobachtete Karel angespannt von der Seite; an Karel ließ sich nicht einmal feststellen, was es ihn kostete, seine Rolle weiter zu führen, aber der Bauer Krk war ihm dabei offenbar eine ausgezeichnete Hilfe.

„Ein ehemaliger Karstbauer, von dorther, wo es am trostlosesten ist. Der Krieg bringt nämlich mit der Ruhr und den Verlustlisten hier und da auch erfreuliche Überraschungen."

Krk hatte also geerbt, einen Hof mit Wiesen, Maultieren, einen richtigen Weingarten.

„Hier", Karel wies gegen den Horizont als bezeichne er etwas ganz Bestimmtes, das sich klar und über jedem Zweifel von der Nachbarschaft abhob, „du erfaßt es nicht, du kannst es nicht einschätzen, hast überhaupt keine Ahnung."

„Ich weiß zwar nicht, was sie mir zugedacht haben — —"

„Wirkliches Gras, Äcker, auf denen Hafer wächst — und Krk, dem wahrscheinlich nicht unbekannt ist, daß es so etwas wie das Alphabet gibt, aber wenn er bis vierzig zählen will, muß er die Finger

und Zehen seiner Frau zu Hilfe nehmen, Krk ist
also in einem permanenten Rausch, sozusagen in
einem andern Zustand, der vielleicht tatsächlich
etwas Wahnhaftes an sich hat —"

„Wenn ich tauschen könnte —"

Karels Direktheit ließ nichts zu wünschen übrig:

„Als wüßtest du genau, wo dabei die größere
Sicherheit ist!"

(Hugos dumpf in ihm beharrende Entgegnung,
selbstquälerisch, antwortlos: nicht bei mir, nicht bei
mir —)

„Nein, nein —", Karel kehrte sich heftig gegen
ihn, auch er in einem besonderen Zustand, vielleicht
erschien ihm deshalb, was er in Hugos Gesicht argwöhnte, als eine Spur von Widerstand, Zweifel oder
sogar von Ironie, „sicher hat Krk seinen Maulesel
mit Argumenten verteidigt, von denen zumindest er
selber überzeugt ist. Der Maulesel war eben auf
eigene Faust auf die gewohnte Weide gegangen.
Daß er dem Posten, der ihn in der Dunkelheit an-
rief, nicht antwortete —"

Und jetzt wurde es interessanter und Hugo hörte
zu, vergaß den grünlila Schwall, der vom Meer
hochkam, auf dessen Grund sie beide dahinschwin-
den würden, vergaß und hörte zu, obwohl Karel
zuviel von den zwanzig Gulden redete, die Krk für
seinen Maulesel verlangt hatte. Krk, der kleine ab-
gemergelte Karstbauer, der nun Wiesen besaß, wie
er sie nur deshalb nie geträumt hatte, weil er gar
nicht wußte, daß es sie gab, grünes saftiges Gras,
weit-weithin... Krk ging ohne anzuklopfen in die
Regimentskanzlei, er nahm den Hut nicht ab, Herr

Offizier, sagte er, ich beschwere mich, ich habe mit Ihnen zu reden — — „mein bester Maulesel — zwanzig Gulden, nicht einen Kreuzer weniger!" — Du kennst die Fortsetzung. Mihic hätte ihm die zwanzig Gulden geben können, es spielte natürlich keine Rolle, aber Mihic winkte Hajro heran —."

Als Krk vom Boden aufkam, krächzte er, schon fast stimmlos, wie denn der Kaiser dazukomme, auf seinen, Krks Gründen, Posten mit Gewehren aufzustellen? Krk drohte dem Kaiser, der seinen Maulesel nicht ersetzte, zwanzig Gulden unter Brüdern, er werde seinen Söhnen nicht erlauben, für den Kaiser zu kämpfen, Krk sagte dem Kaiser Feindschaft an, ein Besitzer dem andern.

Mihic hatte augenscheinlich für diese urtümliche Naivität nichts übrig, Mihic glaubte gerade einem solchen Krk zeigen zu müssen, wo die Gnade des Herrn begann und wie wenig ohne sie auszurichten war. Auch schien Mihic ahnungslos, daß Svetozar Krk sich seit zwei Monaten als Herr fühlte, dem die Grenze nach oben im Nebel der neu gewonnenen Macht verschwamm.

Hier schob sich bei Hugo nicht als Bild, eher als Gefühl, als vergebliches Aufbegehren, ihre gemeinsame Abhängigkeit von Mihic in den Vordergrund, natürlich ohne kausale Verknüpfung, auch Karel dachte nicht an eine solche Möglichkeit und jetzt, gerade in diesem Augenblick, fiel Hugo die Szene ein, an die er sich bisher überhaupt nicht erinnert hatte, die noch niemals aufgetaucht war, weil sie wie keine andere ihre Lage bis auf den Grund enthüllte... Irene war dagesessen, mit diesem blicklosen Ausdruck von Preisgegebensein und Passivität, aus dem es keine Befreiung mehr gibt. Da — plötzlich überkam es sie, in kurzen heftigen Stößen schüttelte es ihre Schultern, aber sie behielt die Augen geschlossen, auch als sie zu reden begann.

„Nein, nein, ich darf da nicht zurückdenken! Er ist ja so gerissen, glaubst du, er hat es mir leicht gemacht? EINES, nur das E I N E wenn ich wüßte ... ob er sich nämlich schlafend gestellt oder ob er wirklich geschlafen hat, wenigstens das! Hahaha ... und ich stand auf, Vorsicht, leise, ich brauchte endlos bis ich über ihn hinweg aus dem Bett war, die Schlüssel aus seiner Tasche, ich schlich mich nebenan. Die Pläne, die er immer als die wichtigsten bezeichnete, lagen zu unterst, bei Gott, er hat mir nichts geschenkt, ich fiel in allen Punkten herein! Die Serben gaben mir das Paket lachend zurück, leider, haben wir schon in zweifacher Ausfertigung, hat uns eine Stange Gold gekostet, danke schön, zum Glück hab ich mein Gesicht dabei nicht gesehen — —. Aber damals schon, wie unter einem Blitz, der durch und durch ging, wußte ich, daß ich das nächste Mal die richtigen mitnehmen würde.

Ganz allmählich aus der Tiefe herauf kommend — ständig ein wenig ohrenbrausend, atembeklemmend ... wenn Hugo sich s e i n e n Auszug vorstellte, die bescheidene Stille wie die Garantie der Sicherheit, eine Patrouille bei Einbruch der Dämmerung gegen Karels Abgang in der ungeheuren Turbulenz des Aufbruchs. Die grelle Sonne oder die grellen Blechinstrumente? Hugo gab es auf und ließ sich fallen, die Stadt, sonst unbeweglich wie gewürgt, erwachte beim Abtransport eines Marschbataillons jedesmal zu hektischer Exaltiertheit. Die Blumen, viele Blumen, die Leute beiderseits der Straße herandrängend als wollten sie die Marschierenden noch einmal berühren, zuckende Hände von peinigender Unruhe, Gesichter zwischen Tränen und falscher Zuversicht, Tücher, Abschied winkend und an die Augen gepreßt, die angstvolle Beruhigung der in Lärm umgesetzten Ungewißheit, Trompeten, Tschinellen, Trommeln, was noch? Vorbei an den tamburinrasselnden Buden mit den Herzen aus Blech oder Lebkuchen, den photographischen Schnellapparaten „Die letzte Aufnahme zur bleibenden Erinnerung", den Flaschen in allen Farben und Etiketten und auf dem Bauch zu tragen, der runde flache Stein, der kugelfest macht, das Wasser gegen den Flecktyphus mit den drei Gelöbnissen an die Heilige Jungfrau, dieses flatternde knatternde Ausbrechen-wollen, durch Kommandorufe niedergehalten, in dem Karel unauffindbar ins Nicht-mehrvorhanden-sein entglitt — — die Vollendung einer Notwendigkeit, eine letzte Konsequenz versetzte ihn in dieselbe Nicht-Realität, in der Irene bereits untergegangen war.

Immer wieder verließ Hugo seinen Beobachtungsposten oben an der Festungsmauer, Karel, einen hin und her wogenden Nebelfleck, dünner als Luft neben sich, und dennoch nicht Hugos Willen unterworfen. Immer wieder das Kartenhaus über dem nicht auszuschöpfenden Brunnen seiner Schuld, bei jedem Einwand zusammenfallend und gleich darauf von ihm neu aufgerichtet.

„Ich bin überzeugt, ich weiß es — du kommst durch, du schon!"

„Natürlich übersteh ich es, gerade ich — hahaha;"

Doch anläßlich Hugos Idylle war Karel stumm, wahrscheinlich fand sein Nebel-Hirn nicht die Worte für die Verachtung, die in seinem Nebel-Gesicht stand, und Hugo hatte nicht den Mut, die Argumente, die er längst auswendig wußte, noch einmal herzusagen. (Der Neffe des Divisionärs in der Hasardpartie eines Marschbataillons? Es gab harmlosere und wirkungsvollere Gefährdungen, aus denen dekoriert und befördert hervorzugehen ein Leichtes war; und Hugo schlug den Takt dazu mit seinem schuldbewußten „Nicht für mich, nicht für mich —")

Drei Mann und Hugo als Patrouilleführer, ein alter steirischer Landstürmer, der die Nachricht gebracht hatte, würde den Weg zeigen. In der Kanzlei erfuhr Hugo, daß draußen bei den letzten Drahtverhauen schon vor einer Woche der Posten erschossen worden war.

„Eben eine der Eifersuchtsgeschichten zwischen Istrianern und Dalmatinern —"

Aber auch der nächste Posten wurde von der Ablöse tot an seinem Platz gefunden. Ein paar Tage hatte sich der Feldwebel geholfen, indem er auf diesen Posten überhaupt verzichtete. Nun war die Untersuchung im Gang und Mihic wollte einen Doppelposten dort haben.

Die mondlose grauschwarze Nacht mit den kargen herbstlichen Sternen in dem blaßgewordenen Himmel, dem die völlige Wolkenlosigkeit etwas Erstarrtes gab; die Dämmerung schob sich quer über die Wiesen wie eine teigige Kulisse, in die sie hinein mußten, die zögernd zurückwich, hinter ihnen endgültig gerann, sie von der vertrauten Welt abschloß. Die Landschaft ohne Lichter, die lautlos dröhnende Stille — sie fühlten ihre Herzen klopfen, die Unterhaltung wurde automatisch geräuschvoller, ihr Lachen krampfhafter, immer häufiger die Pausen plötzlichen Verstummens, in denen das Unergründliche sich rührte wie hinter einer blattdünnen Wand.

Sie hatten sich an den Rand der Büsche gehalten, aber nun waren sie auf der Wiese. Hugo warf sich sofort nieder, kroch auf allen Vieren, die anderen drei gröhlten auf. Der Steirer wußte nicht zu sagen, aus welcher Richtung die Kugel gekommen war. Hugo unterschied eine flache Talsenke und daraus aufragend, kaum höher als der Boden, auf dem sie sich bewegten, ein Dach, augenscheinlich über einem Bauernhaus. Während sie noch die Herkunft jener ersten Kugel diskutierten, hörte Hugo bereits die nächste pfeifen, aber der Steirer hörte sie nicht mehr. Im Augenblick lagen die anderen zwei neben ihm, sie waren gerade an der Stelle angelangt, wo der Posten stehen sollte.

Jetzt krochen sie alle drei zurück an die Gebüschgrenze, den Steirer, der einen Kopfschuß hatte, zerrten sie hinterher. Da wohl keinem der beiden ein halbwegs klarer Bericht über die Situation zuzutrauen war, ließ Hugo sie allein und machte sich auf den Weg. Eine Stunde später besetzte ein halber Zug mit einem schweren MG und Handgranaten den gegenüber liegenden Rand, dort wo es weder

Gesträuch noch auch nur einen einzigen der niederen Obstbäume gab und das Haus sich unverdeckt darbot.

Die Patrouille wartete die ganze Nacht unter den Haselbüschen, auch als das MG aussetzte und das Krachen der Handgranaten aufgehört hatte. Der Dachstuhl brannte mit einer steilen ruhigen gelbroten Flamme kerzengerade in die Höh. Der Tote lag vor ihnen auf der Wiese, er schien gelassen mit blauverglasten Augen einen Ameisenweg zu beobachten, der die Wange herauf, die Schläfe entlang ins Stirnhaar mündete. Sie rauchten und tranken und manchmal spürten sie es, wie sie nicht mehr sich selber gehörten, sondern der gestockten Bedrohung ringsum, die sie längst überwältigt hatte. Es war gleichgültig, was mit ihnen geschehen würde.

Am nächsten Tag schob Hugo die Leute vor der Sanitätsabteilung beiseite, warf einen Blick in den Korridor. Auf zwei Tragbahren lag dort, was die Handgranaten von Svetozar Krk und seinem Weib übrig gelassen hatten. Der italienische Sanitätsfeldwebel kam zum Vorschein.

„Ah, der Signor Kriegsfreiwillige, Sie erwarte ick schon lange, nämlick ick erkenne das — ein künftiger Klient!"

Was er zum Schutz gegen das militärische Berufsrisiko zu bieten hatte, galt als preiswert und unbedingt verläßlich, darüber gab es nur eine Stimme. Die Tür ging auf, Hugo sah einen Moment den Saal, die zwei Reihen schwarz gestrichener Eisenbetten, mit den hellbraunen grobfaserigen Decken.

„Ist es bei Ihnen so verlockend?"

Der Sanitätsfeldwebel zeigte verblüffend unbekümmert ein blendend weißes Gebiß, eingefaßt von dicken, sehr roten Lippen; in dem fleischigen Gesicht mit der schwarzblauen Rasur eine sprudelnde Selbstzufriedenheit:

„Wie im Paradies", lachte er, „precisamente wie im Paradies!"

DIE BADEWANNE

I

Ä äh — zwischen den beiden dürren Kastanienbäumen diese straßenstaubige Veranda, noch mit ein paar Spuren ihres ehemals braunen Anstrichs, krachend, klirrend, ächzend bei jedem Windstoß, der die Talmulde herauffegte. Die Stube dahinter stinkend nach Koksfeuerung, altem Sauerkraut und Urin, das HIER war draußen an der Straßenseite angebaut, ein offener brusthoher Verschlag, zu dem eine niemals geschlossene Glastür mit zerbrochener Scheibe führte. Der gußeiserne Ofen, von dem das rußige Blechrohr quer über die Decke in die Hinterwand mündete, schepperte bei jedem Schritt.

Das Milieu seiner jüngsten Niederlage.

Was nutzte es sich zu sagen, daß sogar die Wirtsstube gewissermaßen nur angeklebt war, daß hinter ihr das eigentliche Gebäude begann, ein altes Bauernhaus, Küche, Stall und Scheune unter einem Dach; auch die Kammern droben, deren eine er als Genesungsurlauber bewohnte (Bett, Tisch, zwei Stühle, Waschbecken, Stahlstich „Der heilige Leopold, durch seine Fürbitte den blindgeborenen Lahmen heilend"). Die Bergluft, jetzt im Frühjahr wie ein kalter Trunk Quellwasser, sollte ihm Herz und Lunge kräftigen. Außer den Bodenkammern gab es noch neben der Eingangstür hingelehnt die vom Sturm heruntergerissene abblätternde Holztafel ZUM WALDFRIEDEN IDEALE MITTELSTANDS PENSION als Zeugnis des bäuerlichen Aufstieges in eine lukrativere Erwerbssphäre.

Vielleicht waren nur der lange Tisch, die drei Bretter von einer Schmalseite der Veranda zur andern daran schuld, vielleicht hätte er die Gesellschaft, Bauernjanker, Loden mit grünen Lampassen, Lederhosen, gar nicht beachtet, sie wirkte penetrant mit allem, was seit eh und je seine verächtlichste Ablehnung hervorrief. Aber er hatte sie offenbar zu deutlich gezeigt, die Leute, die so riesige Mengen gekochtes Schweinefleisch verschlangen, zu Schüsseln dampfenden Sauerkrautes und Krügen Mostes, waren ihm sofort aufgefallen.

Dennoch holten ihn erst ihre Gespräche heran. Wahrscheinlich begünstigte es der Umstand, daß die zwei Azetylenlampen ihre stechende Weißglut so ziemlich in der Mitte ausschütteten, die separaten zwei, drei Gedecke an der Mauer blieben im Dunklen, ohne Zögern setzte sich jeder an den Tisch.

Natürlich glaubte er zuerst, es liege an seiner Art sich vorzustellen:

„Rubiczka von Felsenwehr —" (Imitation aus dem 19. Jahrhundert, Adelsromantik des kleinen Mittelstands, zu österreichisch.)

Die sich davon beeindruckt zeigten, verachtete er,

die darüber ein Lächeln verhielten, haßte er. Wie sollte man so einen Namen unbefangen herausbringen, auch vor Leuten, die eine amüsiert herablassende Grafenvisage aus alter Familie nicht einmal vom Hörensagen kannten! Dabei spürte er, wie er sich zeremoniös aufrichtete. Die Gesichter —? Höhnisch unbeteiligt, keine Rede davon, daß er ihnen dafürstand, sich eine Einstellung oder wenn sie dazu fähig waren, ein Verhalten zurechtzulegen. Ah, dieser Drang zuzuschlagen... eine Sekunde nur; dann fand er natürlich den routinierten Ausweg:

„Amtsrat..." mit Überlegenheit hervorgestoßen, das Folgende immer undeutlicher im Gemurmel erstickend.

Sie hörten gar nicht zu, er hätte sich ohne Namensnennung hinsetzen können. Der Mann da, entschieden zu jung für einen solchen Leibesumfang, sah flüchtig auf, schob sich den frisch gefüllten Teller heran, aber er aß nicht, hielt die Gabel in der Faust wie eine Waffe, starrte wütend und dennoch ungefähr in einem Gemisch aus Zweifel und Betroffenheit hinüber zu dem Gendarmen an der Schmalseite — — immer wieder der Mann, vorher nicht gekannt und nie gesehen, Echo und Wiedergeburt aus i h m selber, Funkenzieher alles Hasses, aller Verachtung, die möglich war.

Auf der Straße sah er ihm herausfordernd ins Gesicht, aber grüßte nicht, hielt stand, zeigte, daß er es mit ihm aufnahm. Das erste Mal hatte der andere unwillkürlich weggesehen, das zweite Mal begegnete er erstaunt dem erregt feindseligen Blick, mit Verwunderung, beinahe mit Neugierde; ohne

Zweifel war e r hier der Geübtere, obwohl er erst jetzt daraufkam, daß er in eine Pause hineingeraten war, in ein Schweigen, in dem sich etwas entschied, das die Dasitzenden betraf, sich jedoch auf eine beunruhigende Weise auch auf ihn selber bezog. Plötzlich wußte er, daß er den Tisch schon seit ein paar Tagen umkreiste, daß er heute bereits eine ganze Weile zugehört hatte, bei der Tür gestanden war, sich hatte kein Wort entgehen lassen. Und als er schließlich näher trat, unwiderstehlich wie von einer festen Schnur herangezogen, geschah es nicht, weil er die Pause f ü h l t e, sondern mit dem Gendarmen gemeinsame Sache machte.

Panoramaartig, mehr farbig als plastisch, aber wie ein Bild — er durchschaute die Szene völlig. Trotzdem ihr Gerede wahrscheinlich gar nicht so anschaulich war, hatte er sofort die lehmige Ebene von damals vor sich. Ohne Anfang, ohne Ende; auf der einen Seite gegen den Hintergrund zu gab es Bäume, nicht Wald oder ein Wäldchen, sondern Bäume, schütter gegen den Horizont gelehnt, vielleicht tatsächlich mit diesem herausgestanzten Geäst, jedenfalls war er von der filigranen Deutlichkeit nicht abzubringen, obwohl er sich über die Jahreszeit nicht im klaren war. Spätes Frühjahr oder Herbst? Es regnete in Strömen — nein, nicht in Strömen, das hatte der Mann nicht gesagt, es war von niemandem so behauptet worden, eher schien es eine Nässe, die von der Erde oder der Luft ausgeschwitzt wurde, eine immerwährende Feuchtigkeit ohne Wolken, ohne Anlaß, die lautlos und nachdrücklich alles auflöste.

Die verwahrloste Sekundärbahn lief landeinwärts fast vor dem Horizont. Sie nannten sie immer noch „Feldbahn", weil sie ihnen auf dem Vormarsch Holzpflöcke und Baumaterial zugeführt hatte in eine Stellung, die sie trotz des völligen Verfalls jetzt wieder erkannten. Kleine flache Waggons ohne Aufbau, auf denen sie sich dicht zusammenhockten, wenn sie darauf befördert wurden. Es hatte bisher kaum Unfälle gegeben, hie und da waren einzelne über den Rand hinabgedrängt worden. Das Wichtigste an der „Feldbahn" war natürlich der Wagen des Generals, ein richtiger großer Möbelwagen, in dem der General schlief und wohnte und sogar einen Waschtisch hatte. Der Wagen war kunstvoll auf dem flachen Feldbahnwaggon festgemacht, verschraubt und vernietet; obwohl er weit über das Geleise hinausragte, war da nichts zu befürchten und außerdem halfen der vorangehende und der folgende Waggon mit, den Möbelwagen zu tragen. Aus ihm kam die brüllende Stimme; jetzt in ihren Berichten war sie dröhnend über sie hingefahren wie aus einem Brunnen des Schreckens, die eigentliche Ursache der Unruhe eines jeden, soferne ihm die Müdigkeit, die ganze automatisierte Verfassung aus Überanstrengung, Hunger, Schmutz, und Gleichgültigkeit sogar gegen den Artilleriebeschuß, der immer wieder ein paar hinwarf, überhaupt noch ein deutliches Gefühl zu Bewußtsein brachte.

Der General beschäftigte ihn zunächst gar nicht, war einfach uninteressant, obwohl er zu dem Oberleutnant, der damals sicher noch mager und Leutnant war, als Widerpart und Gegenpol unbedingt dazugehörte, sozusagen als notwendiger Machtfaktor, an dem das milieuvertraute Bürschchen seine Fähigkeiten erweisen konnte.

Möglich, daß der General die meiste Zeit in der herausgesägten Türöffnung seines Möbelwagens stand, der Schilderung nach ein fleischiger Mann von beachtlichem Fettansatz, der sich wahrscheinlich vorne am Bauch, in einigen Hängewülsten unterm Kinn und hinten am Nacken in mehreren tiefen Speckfalten sammelte. Sehr möglich sogar, daß er seine Adjutanten nicht mit den gewähltesten Ausdrücken traktierte. Die locker auseinander gezogene, in Nebel und Nässe sich verlierende Truppe war kein erhebender Anblick, und wenn auch die Adjutanten eilends hinausritten, irgendwelche Befehle schrien, es hörte ihnen niemand zu, die Leute wandten nicht einmal die Köpfe, höchstens daß die Kompagnieführer als die zunächst Verantwortlichen eine Sekunde lang „Jawoll, jawoll!" die Hand an die Kappe legten.

Einfach grotesk, wie in der Schilderung des Schweinefleischfressers der General zum Hauptstück wurde und dies in der ausgewrungenen Landschaft, deren triefende Unbegrenztheit, deren besondere Umstände ihm längst jede Bedeutung genommen hatten.

Der Gendarm hatte dazu gelacht, in seinem Gesicht wartete noch immer dieses Lachen, Zweifel, Durchschauen, Belustigung über einen, für den der Krieg auch jetzt noch den Ausbruch aus seiner allzu geordneten, allzu ereignislosen Welt bedeutete. Offenbar wußten auch die andern am Tisch, wie

sich derlei in Wirklichkeit abzuspielen pflegte. Sogar über die paar Geschütze war schon verhandelt
worden; ungenügend bespannt, aber immerhin eine
Art Knotenpunkt in der allgemeinen Auflösung,
hatten sie jedes Interesse eingebüßt: niemand wartete mehr auf eine Gelegenheit, den Gäulen die
Sehnen durchzuschneiden, damit sie liegen blieben
und notgeschlachtet werden konnten.

„Verschlüsse abmontieren und mitnehmen!"

Lächerlich. Selbst wenn es Partisanen in der Gegend gegeben hätte, sie hätten mit den Geschützen
nichts anzufangen gewußt. Die Adjutanten taten als
glaubten sie an den Unfall, der die Voraussetzung
zur Schlachtung war, aber nicht einmal die Batterie-
offiziere kümmerten sich darum. Zweimal hatten
Granattreffer die heißhungrige Idylle um die dampfenden Kessel jäh und blutig beendet. Seither rann
die Truppe auseinander wie Schmieröl, wie Leim,
dem zuviel Wasser zugesetzt worden ist. Hauptsache — die Bewegung ging zurück; sie entwickelte
dabei ein erfreuliches Tempo.

Alle am Tisch hatten die Situation begriffen.
Wenn der Gendarm sein Gelächter von neuem losließ, würde er zweifellos nicht mehr allein sein.

„Herr Oberleutnant — — Herr Oberl..."

Die Anreden galten dem Dicken, jedesmal schwang
ein Respekt mit hinein, bezeugend, daß er auch hier
Macht hatte, die sich nicht an dem Messer erschöpfte,
mit dem er wütend auf den Tisch klopfte.

„Nur meine Leute", schrie er in die Richtung des
Gendarmen, während er die Gesichter nach einem
Zeichen des Widerspruchs, der Auflehnung absuchte,

„die waren in Ordnung, meine Leute, ich hatte sie nämlich in der Hand, jawoll —!"

Ein Blick hinüber zu dem Jüngeren (vielleicht ein Jagdgehilfe?) mit den breiten, verfroren roten Gelenken, die aus gestrickten Pulswärmern hervorkamen, nachlässig, aber unzweideutig auffordernd:

„Na, Sie wissen 's ja (der Bursche beeilte sich ‚Jawoll, jawoll!‘) Sie waren dabei! Dem General verschlug 's die Stimme, er starrte ziemlich fassungslos herüber. Wahrscheinlich hatte er so was schon lange nicht mehr gesehen. Eine Kompagnie, in d e m Zustand — ha?!"

Der Kerl kam aus einer Kanzlei der Bezirkshauptmannschaft, mit der sich 's niemand gerne verdarb; am allerwenigsten durfte es der Gendarm:

„Natürlich, Sie waren der einzige, der die Badewanne erobern konnte, der noch die Leute dazu hatte!"

Nachdenklich, ohne Spur von Spott oder Ironie und dennoch —. Vielleicht machten es die Erinnerungen dem Oberleutnant so schwierig, an das Gesicht zu glauben. Er stand auf, eine Drohung, ein Angriff, nicht zu vermuten von welchen Formen. Vielleicht war die Kommandierstimme wirklich seine am wenigsten versagende Waffe:

„Lassen Sie die Badewanne! Sie tun genau so als hätte ich das da —" er fuhr sich mit der Linken an die Brustseite, fingerte ungefähr dort herum, wo das Eiserne Kreuz erster Klasse getragen wird, „wegen der Badewanne bekommen. Hüten sie sich! Sie wissen, mit wem Sie hier reden."

„Selbstverständlich —!"

„Sollten Sie es vergessen, werde ich dafür sorgen, daß es Ihnen in Erinnerung gebracht wird."

„Haben Sie doch schon getan!"

Ein einziges Mal, daß jemand sich an i h n wandte. Lächelnd, im Ton sachlicher Mitteilung:

„Ich werde nämlich versetzt, natürlich auf keinen besseren Posten, und hab das nur dem Herrn da zu verdanken. Er hat mich halt nicht in der Hand gehabt, nicht einen einzigen Tag!"

Eine Stimme, die sich geschickt zwischen Harmlosigkeit und Aggression hielt; erstaunlich, daß sie dennoch einen Partner heranzog:

„Sie haben 's ja so erzählt. Außerdem — Sie wissen doch, ich war genau so dabei, auch damals als wir den Zaun mit den Gehenkten garnierten. Es ging gar nicht um die paar Russen, die waren alles eher als Partisanen."

Skelett und Sehnen, auf dem Kopf perückenartig ein dickes Fell rostbraunen Haars, ein unnatürlich Abgemagerter, dem ein handgroßes Stück Stirnknochen fehlte. Die Haut, von dunkel verwachsenen Nähten durchzogen, war straff darüber gespannt, jeder Pulsschlag hob und senkte sie. Das Lid darunter hing so tief herab, daß es die Pupille verdeckte.

Der Oberleutnant starrte ihn an, sichtlich aus der Fassung gebracht: einer, der bis jetzt sich bedingungslos auf seiner Seite gehalten hatte, alles, was da draußen geschehen war, als glorioses Ereignis nahm, noch und noch von dieser Verklärung haben wollte, wenigstens Worte, immer mehr Worte, seit es die Uniform nicht mehr gab — der Oberleutnant sagte schneidend (schrie nicht, senkte sogar die Stimme):

„Wissen Sie überhaupt, was Sie reden? Glauben wohl, Sie können gegen mich rebellieren, wie?!"

Der andere fuhr in die Höh wie unter einer Beschuldigung, die es abzuwehren galt, es war ihm anzumerken, daß er stramm zu stehen versuchte, daß nur die Bank, die zu nahe an den Tisch gerückt war, ihn daran hinderte. Aber den Oberkörper zu recken blieb möglich und dem Oberleutnant ins Gesicht zu sehen. Die Angst, seine Unsicherheit waren unverkennbar; ah, eine lebenslange Untertänigkeit, außerstande aus eigenem aufzubegehren, glücklich, etwas wie ein Betteln um Hilfe hervorzubringen, daß der Oberleutnant seine Überlegenheit im Nu zurückgewann. Vielleicht gelang es ihm tatsächlich nur mit der Stimme, die Lage von einst aufs neue zu schaffen, die Uniform und die Geborgenheit, die aus dem Zwang, aus der unerhörten Eindeutigkeit des Befehls kommt. Er überflog die erhobenen Köpfe, die der gleiche Ausdruck einander ähnlich machte.

Und in diesem Augenblick, in dem äußerste Anspannung gegen äußerste Anspannung stand, brach das Gelächter des Gendarmen hervor, isoliert und unverständlich, allzu sehr Arrangement und Protest, niemand war fähig, es ihm zu glauben. Sie sahen betroffen, fast mitleidig zu ihm hin, der sich inzwischen erhoben hatte, sein Geräusch stehend fortsetzte. Dann starrte jeder auf seinen Teller, auf die Tischplatte vor sich, vielleicht waren es die Mutlosesten und Nachgiebigsten, die sich sogar mit

Messer und Gabel beschäftigten. Nur der Gemeinde-vorsteher saß mit auseinandergestellten Beinen da, wackelte mit dem Kopf, offenbar auf diese Weise andeutend, daß er die Situation überhaupt nicht verstand.

Unberührbar, jedem Argument durch sein bloßes Dasein entzogen, die Überlegenheit an sich, so daß es in i h m eine Erinnerung empordrängte: Gestern — der Gemeindevorsteher mit seinem Ochsen, eine Mosttonne von riesigem Umfang auf dem Wagen. Die beiden Gesichter, das des Ochsen, blond, mit dem gleichen runden Maul und der breiten Nase, das helle Haargekräusel darunter, Rotz und Schleim, dicke Suppe hing auch vom Bart des Gemeindevor-stehers; dazu die allzu groß ausgefallenen abstehen-den Ohren. Die Unterhaltung war zu reich an sprunghaften Wendungen, so daß er vergaß, den Ärmel mit dem aufgenähten spiegelglänzenden Le-derstreifen über Nase und Mund zu führen. Zwei Brüder, dachte e r, unmöglich die physiognomische Gleichheit zu übersehen. E r tat sein möglichstes, hielt sich an die kurzen dicken Hörner, die dem Kopf des Gemeindevorstehers fehlten, aber die Hör-ner versagten als Unterscheidungsmerkmal, wenn der Gemeindevorsteher den Hut auf dem Kopf be-hielt, was meistens der Fall war. Der Gemeindevor-steher war der einzige, der nicht zum Gendarmen hingesehen hatte.

Aber irgendwie erfaßte er den ausgebrochenen Konflikt. Augenscheinlich erregte es sein Befremden, daß der Gendarm eine Meinung geäußert hatte.

„I woaß net, du host doch nix z'reden. Kumm

murgen, i geb dir dei Popier, schieb ob, i brauch di net mehr."

Die Pause war nur dazu da, damit sie alle, jeder für sich, ihre Auflehnung, mehr gefühlt als gedacht und noch weniger ausgesprochen, zurücknehmen konnten, es drückte sich geradezu bildlich aus, der Kopf des Oberleutnants wuchs in die Höh, während die Köpfe der andern sich über die Teller und Mostkrüge senkten. Eine Weile schepperte noch das Quasi-Gelächter des Gendarmen durch den Raum, eher eine Äußerung der Verlegenheit, vielleicht sogar eine unverständliche Art Zustimmung auszudrücken, die plötzlich abbrach.

Wer sollte die Stille beenden, die wieder hergestellte Übereinstimmung als immer gewesen erweisen? — Da lüpfte der Gemeindevorsteher seinen mächtigen Schenkel und entließ eine Blähung, die dröhnend begann und mit einem pfiffartig verhauchenden Ton endete. Dazu führte er den Mostkrug an den Mund, ließ es gurgelnd und schlappend, hier und da mit einem Stöhnen unterbrechend, ohne abzusetzen hinunterrinnen. Etwas Fremdes, Beklemmendes, vor dem im Grunde jeder tiefe Scheu empfand, war plötzlich vorbei, wie weggewischt, vielleicht hatte es dieses Ungewöhnliche überhaupt nicht gegeben.

Jetzt erst, dies war das von niemandem Begriffene, begann e r. Außerdem wandte er sich nicht an den Oberleutnant, sondern starrte auf den Gemeindevorsteher, der diese Wahl gar nicht bemerkte, seinen leidlich festen Blick nicht zurückgab.

„Haha, hahaha . . ." er lachte wie um anzudeuten, daß er das Verhalten des Gendarmen fortzusetzen gedenke, damit niemand im Zweifel bliebe, was käme und wohin, auf welche Seite pro oder kontra es gehöre. „Sie mit Ihrer Kompagnie im Paradeschritt — während die Schrapnells den Leuten nur so um die Köpfe pfiffen, hahaha —!"

Der Oberleutnant drehte seinen Stuhl herum.

„Ha —" sagte er, „das gibt's wohl nicht, wie?!"

E r tat als überlege er es sich noch einmal, versuchte die Amüsiertheit seines Lachens wie unter der von neuem gewonnenen Einsicht noch zu steigern.

„Sie marschierten? — Liefen halb geduckt, bereit, sich jeden Moment hinzuschmeißen! Hahaha — Sie frisieren Ihre Rolle viel zu großartig. Schön, wenn Sie selber dran glauben, aber den Herren hier, uns können Sie 's nicht zumuten!"

Als sähe er sich um, heimse die ironische Zustimmung der Runde ein; vergeblich, sich mit den Blikken an dem Gendarmen festzuhalten, er glitt ab von dem verlegen unbeteiligten Ausdruck, den gesenkten Lidern.

„Haha... und die Badewanne, die Sie für den General erobert haben, ich hör jeden Tag davon, seit ich hier bin, hahaha —!" (Er hatte die Szene mit brennender Deutlichkeit vor sich, es konnte gar nicht anders gewesen sein. Natürlich holte der Adjutant zuerst die Schnapsflasche und das Paket Zigaretten aus der Satteltasche, „Wie gesagt, eine Frage, eine Bitte... wenn wir nämlich eine Badewanne hätten —.")

Der Leutnant, mit großen Augen zuhörend, ohne

auch nur ein Wort zu sagen: der General hätte also noch ganz andere Damen haben können, direkt die Freundinnen höchster russischer Militärs, Georgierinnen, Herrgott, was die außer den seidenen Hemden noch auf den Hintern hatten — aber nein, diese magere Schwarze mußte es sein, keine Ahnung, was die konnte. Wo hatten sie die Person eigentlich aufgestöbert? Sie verstand oder vielmehr sie sprach ein paar Worte deutsch, wahrscheinlich gerade so viel, um dem General auseinanderzusetzen, daß die Summe, die er genannt hatte, durchaus so wäre, daß sich darüber reden ließe, auch die Vagabondage (so nannte sie es) entlang der sogenannten Front in dem Möbelwagen sei nicht, was sie abhielt ... der springende Punkt, das ausschlaggebende Hindernis war also nicht die Unbequemlichkeit, obzwar — bitte sehr ... wie werde sich das mit dem pot de chambre abspielen? Aber natürlich, dafür gab es ... wozu hatte er schließlich die vielen Soldaten, ein General, der eine ganze Brigade nach Hause führte. Aber ohne Badewanne, o h n e Badewanne — —? Zweimal schon war die Dame zurückgeblieben, vielleicht wäre es möglich, sie nachkommen zu lassen, wenn die Grundbedingung ... wie gesagt, alles andere war in reichem Maße vorhanden, Salben und Tiegel und Wässer in allen Regenbogenfarben verläßlicher Pariser Herkunft, mehr als eine hätte auf die Badewanne verzichtet, Wasser kommt als Toilettemittel ohnehin nicht in Betracht, aber vielleicht dachte die Dame mehr an den General als an sich selber, vielleicht war ihr der General in gebadetem Zustand erträglicher.

Seine Chance. Eine Badewanne, das konnte doch keine Angelegenheit sein.

Die Situation ließ sich prachtvoll ausspinnen, e r genoß sie bis zu einer Art Rausch; ganz von oben herab, er war nicht mehr unterzukriegen, am wenigsten durch diese barsche Stimme aus einer total verfälschten Umgebung.

„Wissen Sie überhaupt, um welchen General es sich handelt?"

„Ah, Sie glauben, daß das eine Rolle spielt?"

Eine leichte Unsicherheit, ein frappierter Zug bei dem andern, dann plötzlich die Frage:

„Waren Sie denn jemals draußen?"

E r fühlte gequält, daß eine nachlässig-überlegen hingeworfene Geste noch helfen könnte.

„Als ob das hier eine Bedeutung hätte!"

Möglich, daß e r es nicht mit jener Sicherheit vorbrachte, die jetzt nötig war. Der Oberleutnant erwies sich als feinhöriger; inquirierend, beinahe ein Vorgesetzter:

„Wo haben Sie denn gedient, ha?" Während er noch einen Schritt herankam: „Truppenkörper? Regiment?"

„Sie halten das also immer noch für wichtig? Ich sage Ihnen, ein bißchen hier" — er deutete an den Kopf — „genügt. Sie glauben doch nicht, daß auch nur einer dasitzt, der, was Sie erzählen, für bare Münze nimmt!"

Der Oberleutnant drehte sich um:

„Wirt —!"

Eine grüne Schürze, ein muskulöser, auffallend vornübergebeugter Oberkörper, der Mann wirkte dadurch viel älter als er wahrscheinlich war. Die hellblauen Augen basedowartig vorstehend, er zeigte sich bemüht, die Lider (wie zu kurze Jalousien) darüber herunterzulassen, aber es gelang nicht, es sah aus, als blicke er suchend an sich herab. Mit diesem Blick auf den Boden, dem unbewegten Gesicht ging er hin, nahm das Glas, das vor i h m stand, trug es zu dem Tischchen an der Wand. Dazu tat er ein übriges, das zwar nichts mit dem zu schaffen hatte, was er bei sich von dem Oberleutnant halten mochte, aber offenbar mit der gewohnten Tätigkeit des Wirtes zusammenhing. Er kam mit einer Kerze, die in einer Bierflasche steckte, stellte sie neben das Glas, zündete umständlich an.

Niemand sagte i h m, daß er vom Tisch gehen, sich hinübersetzen solle. E r entschloß sich zu einem letzten Wagnis, erhob sich, schlug dem Gendarmen leicht auf die Schulter:

„Kommen Sie!"

Aber der Gendarm blieb sitzen, reagierte überhaupt nicht. E r murmelte völlig überflüssig (denn das würde e r morgen erledigen):

„Zahlen!", rettete sich, verschwand in die große Stube, buchstäblich, e r verschwand, wenigstens hatte er selber dieses Gefühl als die Tür hinter ihm zuschlug.

Die Kälte barst klirrend an dem Fenster, die Eisblumen machten jeden Blick hinaus vergeblich; e r stand zitternd in dem Zimmerchen, riß zum so und sovielten Mal an dem Glockenstrang, dessen in der Ferne ersterbendes Bimmeln einen Krug warmen Wassers herbeizaubern sollte. Plötzlich warf er den Mantel über, stieß das Fenster auf — die ganze gestockte Bedrückung von gestern war im Nu wie ausgelöscht.

Statt der erwarteten Narzissenwiese in der gelbblassen wärmelosen Frühsonne sah er ein Schneefeld. Die Wiese, wie auf einer ungeheuren Hängematte zwischen dem heftig zerklüfteten Massiv der Rax und den weicheren Kuppen des Schneeberges aufgehängt, leuchtete sonst mit der grellen Farbigkeit aller Frühlingsblumen, während die Bläue sie in stechende Helligkeit tauchte und die Berge mit messerscharfen Konturen in breiten Wellen zum Himmel emporstiegen. Vorbei, alles dem Erfrierungstod verfallen.

Wie würde der Sommer heuer aussehen? Er rechnete an dem Termin seiner Abreise (bis ihm unten im Hof das blökende Gelächter des Knechtes die Ohren füllte, „Oäh, in zwo Stund is dös vurbei, wenn d' Sunn 'n Schnee weggschmulzen hot. Un d' Blüten son dös gwohnt, denen tut 's gonz un gor nix.")

Ah, kältegeschüttelt auf dem Platz des Oberleutnants in der Veranda, mit steifen Fingern den dampfenden Kaffee in sich hineingießend. Der unvorhergesehene Wetterumbruch schien wie ein Argument für die Leute hier, als müßten sie so sein, ins Charakterologische gewendet die in barbarischen Kontrasten sich austobende Umwelt. Sinnlos, sein bißchen Energie und Nervenkraft dagegen aufzubieten ... ah, das waren nicht die Betrachtungen seiner Überlegenheit, sondern das alte Spiel, das er mit sich selber trieb, er zerfiel bereits in den spöttisch-erfolgssicheren Akteur und den gereizten Zuschauer.

Haha ... welches Darüberstehen, welche Durchleuchtung! E r durchschaute den Selbstbetrug, verachtete seine schäbige Freude daran und wußte, daß es ihn zwangsläufig weiter hineinstieß wie in eine Mission, die bereits mit seinem Dasein verwachsen war. Der Schlaf seiner Nächte hing davon ab, auf welche Weise der Oberleutnant, dieser damalige Leutnant, sich natürlich nicht gleich an den General, aber zunächst an den Adjutanten herangemacht hatte. Jedenfalls verdankte er ihm die Mitteilung, daß der General eine Badewanne brauchte.

Wahrscheinlich unter den Adjutanten der jüngste, der es sich nicht leisten konnte mit Leuten herumzuschreien, die sich um ihn überhaupt nicht kümmerten. Da war also diese Kompagnie und da war „er", der sich so auffällig bemühte, den Landsern ein militärisches Aussehen zu geben oder wenn sie es hatten, alles daransetzte, daß sie es behielten.

„Sie glauben, dem General liegt an dieser Badewanne, er legt Wert darauf?"

„Tja ... im Vertrauen gesagt, der General war

entschieden traitabler, wenn die Person mit den Kugelaugen, diese kleine schwarze Wendige mit ihm —."

Und wie gesagt, für sie, die täglich, ja stündlich mit ihm zu tun hatten, war es jedenfalls angenehmer, wenn — —.

Die Mühelosigkeit hinaufzukommen, sein innerer Jubel — nein, es war wirklich keine Sache, wo sie jede Woche mindestens an ein, zwei Gutshöfen vorbeimarschierten. Zugegeben, meist standen nur die verkohlten Mauern, aber was lag da kreuz und quer herum und wenn man näher hinsah, waren nicht einmal alle Räume ausgebrannt.

Na — auf alle Fälle wolle er sich die Sache merken.

Wahrscheinlich nahm es der Adjutant als Zurückhaltung, vielleicht sogar als Folge einer gewissen Schüchternheit, während seine innere Spannung jäh anstieg, die Gelegenheit des günstigen Augenblicks ihm die Sprache nahm. (Wie i h m versagte auch dem Leutnant plötzlich die Stimme in unerwarteten Erregungszuständen.) Der Leutnant räusperte sich.

Nein, er wolle lieber nicht — obzwar ... natürlich sei es nicht unbedingt nötig, aber wenn er die Maße notieren dürfte, sich den Möbelwagen ansehen könnte, den Platz, wo die Wanne —

Aber gewiß, nichts war leichter, der Adjutant beutelte den Ärmel zurück, sah aufs Handgelenk, das heißt, selbstverständlich nur, wenn der General nicht daheim war, zum Beispiel —

Jetzt? Leider ... oder doch, wenn sie sofort aufbrächen. Der Adjutant ritt im Schritt, er ging ne-

benher (verhaltend jetzt j e t z t JETZT). Wenn
er ihnen den Dienst, der an so vielen schwierigen
Unwägbarkeiten hing, erleichtern könne... (der
Adjutant sah ihn erstaunt an) und wer hülfe nicht
gerne einem Kommandeur, der auf solch einem
Posten... (der Adjutant grinste) er verschluckte
den Rest.

So ungefähr mußte es gewesen sein, genau so.
Vielleicht war seine Angespanntheit zu groß; er
hatte zuviel erwartet, so daß er es als Erleichterung
empfand, daß der Wagen leer war. Der General
pflegte täglich eine Stunde auszureiten, nur entlang
der Strecke, versteht sich, schließlich brauchte er das
bißchen Bewegung, „schlank"! war der momentane
Schrei; „ganz oben" sah man es nicht gerne, wenn
einer von der Front auftauchte, rund wie ein Faß.
Und was die Bahn betraf, so richtete sich ihr Tempo
hahaha nach der Truppe, nicht umgekehrt.

Seine Vorschläge, wie man einige Verbesserungen
in der Ausstattung des Möbelwagens... der Adjutant hatte aufgehört zu grinsen, nun wurde er
dienstlich. Leider, Zeit zu verschwinden, der General müsse jeden Augenblick zurück sein. Im übrigen,
die Einrichtungsfragen löse der General selber, aber
was die Badewanne betraf... also auf bald, 'n
Tag, Wiedersehen.

Schon am nächsten Tag konnte er drüben am
Horizont das Wäldchen ausnehmen, die Pappel-
allee, ein paar alte Buchen, weißhäutige Platanen,
nur die Eichen mit verdorrtem Laub, er erkannte
die Bäume durchs Glas an Stamm und Ästen, bestimmt der ehemalige Park eines Gutshofes.

Es war alles eher als einfach und weit entfernt erfreulich zu sein.

„Gesindel, gewiß und höchstwahrscheinlich allerlei Spionage-Versuche. Partisanen sind zweifellos da, wenn sie sich auch mit unsern Spähtrupps nicht einlassen!"

Es zeigte sich, daß das Motiv des Auskundschaftens mit dem Hintergedanken einer eventuellen Frischfleisch-Versorgung durch Jagd oder Beitreibung noch am wenigsten Schwierigkeiten bot. Außerdem war Befehl noch immer Befehl.

Drei Stunden Marsch, ein richtiges Schloß, größer als man vermuten durfte, nicht einmal zur Hälfte ausgebrannt. Hier gab es Badewannen, ohne Zweifel Badewannen, keine Badezimmer, die Wannen wurden mit heißem Wasser gefüllt hereingetragen, sie hatten aufragende Henkel, durch die eine Tragstange geschoben wurde; er hatte einmal im Quartier eine solche Wanne benützt, ohne Ahnung, daß er je darauf aus sein würde eine aufzutreiben.

Wo? Höchstwahrscheinlich in den einstigen Herrschaftszimmern mit den goldenen Ornamenten; er ließ die Leute zurück, er brauchte nur dem Gestank nachzugehen. Dank der eingeschlagenen Fenster war es möglich bis zu den Wannen vorzudringen, einer großen und einer kleineren für die Kinder.

Vom Inhalt war genug vorhanden, so daß der Eindruck körperlicher Scheußlichkeit noch Raum für die moralische Entrüstung ließ, trotz der Ratten, die sich hier zu Haus fühlten. Es waren ungefähr ein halbes Dutzend da, die sich vor ihm unter die Möbel und in die Ecken zurückzogen, sich aufsetzten, die Vorderpfoten leckten, ihn abwartend beobachteten.

Die Herrschaften hatten statt zu fliehen ein Bad genommen und waren dabei offenbar von den Folgen der militärischen Wendung überrascht worden. Die kleine Wanne war leer, ein paar sauber abgenagte Schenkelknochen lagen daneben, die nur von Erwachsenen herrühren konnten, in der großen war das Wasser bis auf den brackig-öligen, infernalisch stinkenden Schlamm verdunstet. Zwei Schädel, abgenagt, unkenntlich, der eine noch mit einem Büschel langen braunen Haars, eine Menge Knochen mit angefaulten Fleischresten, namentlich das Stück Wirbelsäule mit ein paar Rippen hob sich deutlich aus dem Verwesungsbrei. Im Anfang hatten die Füchse wohl mitgeholfen, was jetzt übrig war, rührten vermutlich sogar die Ratten nicht mehr an.

Er hätte gerne gewußt, w i e es geschehen war, hielt sich das Taschentuch vor, spähte nach irgendwelchen Anhaltspunkten. Nichts oder nichts mehr. Ob sie verstümmelt worden waren? Er glaubte ein paar Überbleibsel von Stricken zu erkennen. Hatte man ihn gefesselt? Ehe man ihm vorne abschnitt, was man ihr dann in den Mund steckte, während er Zeit hatte zu verbluten. Und auf welche Art hatte man sie — —? Die Situation verriet noch die Vehemenz des ersten Ausbruchs. Wahrscheinlich hatten die Weiber mitgetan, ihr Personal, die eigene Zofe; das genußvolle Mißbrauchen und zu Tode Martern gedeiht unter anderen Voraussetzungen. Sicher hatten sie die beiden verstümmelt, d a m i t hatten sie angefangen. Bei uns zu Hause, dachte er, gehört so was völlig in den Bereich des Kriminellen, hier steht es einem Urtrieb der Vergeltung näher, der Gewißheit, daß, wer am Geschlecht vergilt, am empfindlichsten trifft, die persönliche Unberührbarkeit am gründlichsten zerstört.

Er pfiff nach seinen Leuten.

„Lassen Sie draußen ein Loch schaufeln, wir wollen wenigstens die Knochen eingraben."

„Und wer wird sie aus dem Stunkbrei da herausholen? Richtig, wir haben die Gasmasken, aber —"

Der Spieß (mit zivilem Intelligenzberuf) wurde in auffallender Weise dienstlich:

„Gestatten der Herr Leutnant —"

Obwohl der Leutnant nur eine auffahrende Geste hatte, gestattete der Spieß sich die Frage, was denn die ganze Angelegenheit sie eigentlich anginge, mit welchen militärischen Notwendigkeiten sie zusammenhinge? Als der Leutnant nicht gleich antwortete, setzte er sogar hinzu, daß die Badewanne doch für den Gebrauch des Herrn Generals keinesfalls in Betracht komme.

„Also für ihn unter allen Umständen nicht. Allerdings ob vielleicht für — —."

Die Leute im Halbkreis hinter ihm grinsten, einer prutschte heraus, hielt sich die Hand vor.

Der Leutnant schwieg noch ein paar Augenblicke, dann wies er mit schnalzendem Finger zur Tür hin, Kehrt, Marsch.

Die Ereignisse, über die sich die Tischgesellschaft in erregten Debatten ausgelassen hatte, ließen sich weiterspinnen, bis wohin?

E r stattete die Vorgänge mit immer neuen Einzelheiten aus, schlüpfte wieder und noch einmal hinein in den damaligen Leutnant, erlebte das Ganze mit der eigenen Differenziertheit und dennoch (immer dachte er: dennoch, nicht deshalb) gab es den Moment, da sah er den Leutnant sich abwenden, Schrecken und Hilflosigkeit im Gesicht, schreiend „Verfluchte Schweinerei!". Drüben in den Büschen rührte es sich, sie hielten mit dem leichten MG hin, „Alles die gleiche Brut!", hörten den unterdrückten Aufschrei. „Dableiben! Laßt sie liegen! Zeit genug verloren!"

Eine vollendete Szene, bis in die letzten Finessen lebendiger Atem, dabei in der Luft hängend, im Irrealen verfließend, aus lauter Unwägbarkeiten zur Existenz verdichtet wie alles, was mit den Anzeichen der Gewichtigkeit geschieht und Bestand hat. Und dennoch wohl hauptsächlich eigene Phantasie — — in den ersten Tagen mit halbem Ohr aufgefangen, Andeutungen, von i h m zu Ende geführt, von einer Subjektivität, über deren Ausmaß i h m jedes Urteil, jede Berechnung fehlte, weil er niemand andern zur Verfügung hatte und aus dem Kerl einfach nichts herauszuholen war.

„Wer uns so beisammen sieht, weiß, daß es sich um ein Privatgespräch handelt. Vermutlich unterschätzen Sie den Einfluß dieses Herrn —" die bedauernde Distanzierung des Gendarmen, ach was!

Dagegen der rote, fast bewegungslose sichelförmige Pfropfen unterm hängenden Lid, der im verschwimmenden Gerinnsel offenbar eine funktionierende Pupille barg. Das andere Auge hellblau, beim Fixieren eines Gegenstandes zu weit in den äußeren

Winkel geratend als flüchte es aus dem ihm zuge-
messenen Sehfeld; darüber die Schädelhaut ohne
Stirnknochen, auf ab, auf ab, der schüttere Schnurrbart verwuchs in die Unrasiertheit der knochigen
Wangen. E r hatte zunächst das Empfinden, daß
der andere ihn nicht wiedererkannte, aber der Mann
sagte:

„Nicht hier. Sitzen wir lieber dort drunten —.
Es sind nur ein paar Schritte."

Er war tatsächlich Forstgehilfe gewesen, jetzt
wurde er im „Grundbuch" beschäftigt. Auf Stirn
und Auge deutend, es ging damit nicht mehr im
Revier. Der Mann trank Kornschnaps, zuerst zwei
Gläser hintereinander, so daß e r befürchtete, das
Tatsächliche der noch ausstehenden Mitteilungen
werde darunter leiden. E r winkte nach einer neuen
Flasche, nahm sie der Wirtin aus der Hand, stellte
sie vor ihm hin. Der Mann begriff, wofür er be-
wirtet wurde, ging sofort daran sich mitzuteilen.

Also das Erstaunliche, die Hauptsache, jaja, das
Unbegreifliche sei die Schnelligkeit gewesen, alles
ging mit einer Geschwindigkeit — — nicht zu sagen. Gerade beim Essen. Nicht die gewöhnliche
Menage, sondern sie hatten wieder einmal ein Pferd
geschlachtet, ein junges kräftiges Tier. Jawoll, er
genoß das spezielle Vertrauen. Früher hatten sie
einen Fleischhauergehilfen, der das Wichtigste, die
Vorbereitung nämlich, das Durchschneiden der Sehnen besorgte, damit das Pferd also liegen blieb und
die Notschlachtung —

Hier versuchte e r die erste Bresche, e r war auf
eine harte Geduldprobe gefaßt.

„Aber die Erzählung des Oberleutnants... und was mich daran am meisten interessiert —"

„Jaja, richtig, zweifellos —"

Er hatte dem Herrn Leutnant (damals war er noch Leutnant und sein Kompagnieführer), er hatte ihm also jedesmal ein ordentliches Stück mitgebracht, das Beste vom Besten und schon zubereitet. Denn der Fleischhauer wurde nicht mehr zugezogen, es verschwand zuviel, das dann bei den Infanterie-Unteroffizieren wieder auftauchte. Und wie, fragte er, w i e kamen die dazu, derartige Freßorgien zu veranstalten und sich bei ihnen, bei der Batterie nämlich, noch dazu den Kessel auszuleihen, nur um bei ihrer Küche jedes Aufsehen zu vermeiden. Also wie gesagt, auch das Aufbrechen und Portionieren besorgte er genau so, das heißt viel verläßlicher, auch hier war gelernt eben gelernt und das Aufbrechen des Wildes hat da manches Gemeinsame —

„Ihr Kompagniechef war wohl mit den Adjutanten sehr befreundet, wie — —?"

Es zeigte sich, daß der rote Pfropfen unterm hängenden Lid geradezu Unwillen ausdrücken konnte.

„Hat mit den Adjutanten überhaupt nichts zu tun. Die Gefahr war nämlich eine doppelte. Erstens einmal das Schrapnellsprengstück —" er hielt die Hand schützend an den Kopf, dort wo der Stirnknochen fehlte. „Und dann der Brocken im Schlund."

Er nahm i h n beim Arm, drückte ihn nieder, damit er i h m besser ins Gesicht sehen konnte.

Nein, so sei es nicht gewesen, daß man sich beim Essen wegen der andern besonders beeilen mußte. Außerdem schnitt er möglichst kleine Bissen, damit sie mehr ausgaben, aber er hatte gerade einen besonderen Brocken halbfaust groß, ein etwas zähes, aber saftiges Stück. Und wie es passierte, nicht anders als wenn der Blitz einschlägt, mußte ein Teil davon ihm tiefer in den Schlund und sogar in die Luftröhre gerutscht sein. Wie gesagt, und das müßte er immer wieder betonen, mit Blitzgeschwindigkeit. Wenn der Sanitäter nicht ein wirklicher Sanitäter, sondern nur so ein dazu kommandierter Bauernknecht gewesen wäre, wie gesagt, der Sanitäter zog ihm nämlich die Zunge heraus und mit der Zunge ging gleichzeitig der Brocken mit, so daß sie sich auf der Station nur um den Schädel und das bloßliegende Gehirn zu kümmern brauchten. Jetzt lächelte er ein wenig höhnisch, während er sich das Glas füllte:

„Und dazu brauchten die auf der Station nämlich keine Adjutanten!"

Gewiß, gewiß, das sei gar nicht uninteressant, zumal er eine Art habe — — einfach spannend, also so zu erzählen! Aber die Adjutanten gab es doch und wahrscheinlich mehrere?

„Leicht möglich."

„Und der Kompagnieführer war also mit ihnen —"

Wie man wollte, befreundet und doch wieder nicht befreundet. Nun — der junge Bursche hatte entschieden das Gute, daß er ebenfalls Leutnant war.

„Aha, da stand also der Kompagnieführer mit ihm auf vertrauterem Fuß —"

So und so. Zum Beispiel von dem Älteren wußte er, daß er die andern nicht anbrüllte, wenn sie „Herr Architekt" zu ihm sagten. Nur der Hauptmann war ein ganz großer — er überlegte, den Kopf hin und her wiegend, zerknitterte die Gesichtshälfte mit dem hängenden Lid, was vielleicht als durchschauendes Zwinkern gelten konnte, winkte abwehrend, schließlich flüsterte er direkt ins Ohr seines Gegenüber, Stiefel, also — — er schnupperte mit der Nase als rieche er sie, braune Stiefel, ob e r verstehe? Braune — er wolle nicht mehr sagen. Aber der Hauptmann war eher ein ... nein, gar kein leichter, wahrscheinlich ein sehr unguter —

„Und der General?"

E r sah sofort an dem Gesicht, e r hätte nach Gottes persönlichem Aussehen selber fragen können.

Dann kam er also vermutlich ins Lazarett?

Der Mann setzte sichtlich an, ein Bündel Lazarettgeschichten auszupacken (fingernd nach dem Glas, während e r die Flasche zurückzog).

Natürlich verlor er die Kompagnie aus den Augen, niemand kümmerte sich mehr um ihn?

Niemand? Jawoll ja, niemand. Außer dem Kompagnieführer, der hielt auch weiterhin seine Hand gnädig über ihn.

„Was —?"

Wirklich, das müsse er sagen. Während des Krieges und sogar jetzt noch. Er hielt seine Hand gnädig —

„Hören Sie auf!"

E r schob ihm die Flasche hin, schenkte ein:

„Auch wenn Sie die ganze Flasche ausgetrunken hätten, könnten Sie nicht anders reden!"

In einem plötzlichen Taumel; er mußte an sich halten, umklammert von Wut, erstickend; nicht Zorn oder Enttäuschung, weil er nichts erfuhr, sondern nackte Wut. Bitter brennend stieg es ober dem Herzen herauf, die Brust war zu eng dafür, so daß es sich in irgendeinem Tun entladen mußte. Er hielt die Tischkanten gepackt, aber sie rührten sich nicht, ein schwerer Tisch, an dem sich nicht rütteln ließ. Auch an den Worten des Mannes war nicht zu rütteln, der Kerl, dieser Oberleutnant hielt seine Hand gnädig — —

Es brauchte lange bis e r den Trost fand: drei Adjutanten, drei, da war er nicht durchgekommen, diese Hürden hatte er nicht genommen, er war höchstens bis an den Hauptmann gelangt. E r überlegte, ob es hier nicht doch den Einschnitt einer unvorhergesehenen Wendung gäbe, etwas, das außerhalb seines Nachfühlens, seiner das Tatsächliche ausschöpfenden Einbildung stand (einfach weil e r nicht daran dachte, es nicht für möglich hielt). E r grübelte endlos, fand, die Frage sei zu verneinen.

Wie bisher, der täglich vorbereitende Adjutant, Gruß, Zigarette, ein Scherzwort. Beflissen, durch die Vertraulichkeit gehoben, „Wie befinden sich der Herr General?", unter den Kameraden und Ranggleichen ein Auserwählter. Aber die Augen des Adjutanten, sah e r nicht, die Erniedrigung ohne Grenze nach unten, diese Augen — — forschend,

noch unsicher, ob es wirklich d a s sei, die subalterne Art (sich geschmeichelt fühlen bis zur Devo-
tion, bis zur Selbst-Aufgabe, wenn ein Selbst da
wäre, das man aufgeben könnte). Oh, er verstand
nur zu gut, in dem Jungengesicht kam ein neuer
Ausdruck hoch, spöttisch abweisend, immer unver-
deckter verächtlich; nach ein paar Tagen schien er
ihn nicht mehr zu bemerken und die winkende
Hand hatte es überhaupt nur im Anfang gegeben.
Als sei ein Kraftstrom, der ihn hielt, ihn stetig
empor und weiter trug, mit einem Mal abgeschnit-
ten, er sah nur den fremden, immer fremder wer-
denden Anlaß in der Ferne, den durch seine Größe
auffallenden Möbelwagen auf dem schmalspurigen
Geleise, und wenn er mit dem Glas die Gegend
absuchte, fing er den Mann ein, der in der Tür
stand und zumeist ebenfalls durch's Glas herüber-
starrte.

Auch von der höheren und intensiveren Verbindung konnte e r nichts ahnen, die sich an Stelle
der vergangenen herausbildete, deren Abbruch der
Adjutant so sichtbar zur Schau trug. Der Leutnant
war im innersten des Glaubens (der sich nie bis zu
Worten, zu deutlichen Bildern oder deren Verknüpfung vorwagte), daß der General ihn wahrnahm,
ja vielleicht lehnte er nur seinetwegen dort, vielleicht wollte er ihm Trost, Ermutigung, Stärke
schicken, so daß er wieder fähig war, die Arme in
die Seiten zu stemmen, auf die streunende, immer
haltloser sich lösende Truppe einzuschreien, so daß
die Landser ebenso automatisch wie sie auseinander-
gerieten sich wieder zusammenschlossen.

116

In einiger Entfernung das höhnische Jungengesicht des Adjutanten, der den Befehl überbracht
hatte und nun ironisch lächelnd sein Pferd herum-
wandte.

Nein, e r wußte nichts von dem Spott für den,
der die Sache noch ernst nahm, vom Hohn (und
dem Schlimmsten, weil es die Aussichtslosigkeit un-
verhüllt zeigte: von der Verachtung). Wer weiterhin so tat, sich hinstellte, seine Stimme losließ (eine
prachtvolle Kommandostimme, die damals beim
ersten Versuch dem Gefreiten sofort die Sympathie
des Unteroffiziers eingetragen hatte), wer jetzt noch
Opferbereitschaft mimte, mochte seine privaten
Gründe und Vorteile im Auge behalten. Doch bei
Lichte besehen hatten alle sie, es brauchte dazu nur
die Flüsternachricht, daß es irgendwo den unbe-
zweifelbaren, den längst nicht mehr möglichen Erfolg dennoch gegeben habe.

Aber dort drüben vor dem Horizont gab es den
Möbelwagen, gab es den Mann, von dem die End-
gültigkeit kam jener Ordnung, in der man nur
Bescheid zu wissen brauchte, die sie alle mit der
ererbten Sicherheit umfing, besser, risikoloser als
das Ungefähre, Gefährlich-Unbestimmte, das aus
ihrem Einsturz hervorgehen mußte. Hier seine Zugehörigkeit, seine Unterwerfung rechtzeitig beken-
nen... unmöglich, dem Jungen das Ereignis auf
dem Gutshof wenigstens andeutungsweise zu berichten, unsinnig zu hoffen, er würde es weitergeben.
Der Junge (es genügte längst nicht mehr ihm zu
winken, plötzlich verstand er nicht, man mußte
rufen, ihn bitten) trabte heran und kaum daß er

begriffen hatte, gleich wieder davon, schwenkte ein, zweimal den Reitstock.

Aussichtslos, es mit dem älteren Adjutanten zu versuchen.

„Sagen Sie, wie kommen Sie denn auf solche Geschichten? Und Sie glauben, daß der General davon weiß?"

Während er nach einer Antwort suchte, die sich mit der Wahrheit in Einklang bringen ließ und doch nichts verriet, deutete der Adjutant auf die im Nieselregen daherschwankenden Landser. Der Artilleriebeschuß hatte noch nicht eingesetzt, die verschmutzten bärtigen Gesichter, die entzündeten Augen starrten schräg in die Höhe, wo sich vielleicht in der nächsten Stunde ein wenig Sonne durchringen würde.

„Kümmern Sie sich lieber um ihre Leute!"

Sein Blick, wegwerfend, angeekelt über sie hingleitend — der hat auf dem Wagen der Feldbahn geschlafen, der hat eine trockene Plache und darunter zwei Decken, der hat was Heißes gefrühstückt (und Speck S p e c k aus dem Küchenkasten), der hat — — Schon im Davonsprengen, wieder sarkastisch, ohne Anteil:

„Wie eine Viehherde!"

Zum ersten Mal überwältigte ihn die Verlassenheit, fühlte er das Schmähliche seiner Lage; die Strapazen und Entbehrungen in ihrem entheroisierten Zustand, das Aussichtslose, ja die lächerliche Trostlosigkeit seiner Erwartungen. Ihm wankten die Knie: alles war plötzlich gegenwärtig, was ihn im Absinken umfing, die Nacht auf der Zeltplane, das lehmig schmeckende Brot, das trübe Kohlwasser, pfefferige Fleischbrocken in der roten Konservenflüssigkeit, lauwarmes Sacharingebräu und wieder die Nacht auf der nassen Plache. Die Revolte im Darm, die erdigen Schweißkrusten auf den wunden Füßen, „Jod, ein bißchen Jod zum Darüberschütten!"

„Der Sanitäter hat Jod, zwei Tabletten — eine Zigarette. Vielleicht kriegen es der Herr Leutnant umsonst."

Bei den Einbrüchen der Vergangenheit seine Zuflucht zu suchen, half nicht mehr. Und der General? Nicht dieser, sondern e i n General DER GENERAL in seinem eigensten Bereich, also dort, wo er allmächtig wie Gott selber war? Er sah ihn, wie er dem liegen gebliebenen Bataillon eine knappe Sekunde schenkte. Der Blick zum Adjutanten: deswegen, d e s w e g e n haben Sie mich hergeführt (nicht erstaunt, nur ungehalten). Um seine beherrschten Augen, um die verschlossen-verächtliche Grimasse drängte sich zuviel anderes vor.

Dazu wie eine ständige Untermalung die scheue flüsternd-hinterhältige Art des Mediziners:

„So ein liegengebliebener Angriff ist eben nie ein erhebender Anblick, aber das da — —"

Mit krächzend heiserer Stimme; der Unterarzt stellte seine Ungerührtheit (oder was er dafür hielt) ein wenig zu krampfig zur Schau. Dabei starrte er mit sichtlicher Anstrengung den weiten flachen Hang hinauf in den glasigen Septemberhimmel. Aber der zittert ja, dachte der Leutnant und beobachtete die zuckende Bewegung, das flatternde

Auf und Ab des linken Arms, den der Unterarzt mit dem andern festzuhalten suchte. (Viel zu viele Details, die vom General wegführten.)

Vielleicht war nur der Regen gestern schuld daran, daß das liegengebliebene Bataillon so erbärmlich aussah. Die Leute lagen geradezu reihenweise da, eingesunken in die aufgeweichte Ackererde; selbst wo es offene Wunden und Blutlachen gegeben hatte, war alles vom Lehmwasser weggespült, mit Sand zugeschwemmt. Die Gesichter — — sonderbar, hatten alles verloren, in das sich noch ein menschlicher Schmerzanteil hineininterpretieren ließ; zu entfernt von jeder begreifbaren Mimik, man konnte nicht einmal sagen „verzerrt", über jeden erlebensmäßigen Leidensausdruck hinausgeschoben ins nicht mehr Menschliche, fast ins Unorganische. Dennoch schienen es die Gesichter, die den Unterarzt nicht freigaben, unwillkürlich ging er näher heran und machte gerade dadurch den Leutnant auf das Paar aufmerksam, das diese unbegründete, ja erschreckend beziehungslose Erinnerung heraufbrachte.

Die beiden lagen in der untersten Reihe hinter einem Haufen von Feldsteinen, die der Bauer offenbar beim Pflügen zurechtgelegt hatte, vielleicht wollte er sie für den Wegrain verwenden.

Zuerst sah der Leutnant eigentlich nur den Dikken deutlicher, sein mächtiges Hinterteil, eine steile, blank geputzte Wölbung, wie ein Hügel emporragend. Die tödliche Verletzung hatte er offenbar an dem fetten Hals, dort war es schwarz von einer Art dicker schillernder Fliegen. Der Junge lag eng an ihn gedrückt, als ob er sich hinter oder unter ihm verstecken wollte. Aber während der Feldwebel bereits kein Gesicht mehr hatte, war das des Jungen besonders ausgeprägt, sogar noch der Ausdruck seiner letzten Lebenssekunden erhalten. Die Augen wie verkniffen, als verhielten sie ein Lächeln des Bescheidwissens, überzeugt, dieses Anpressen an den Großen, den Freund von solchem Umfang, bedeute Schutz und Sicherheit. Aber das gehörte schon zu der gänzlich unmotivierten Erinnerung an das Paar in ... in —

Von dem verdunkelten Raum war beim besten Willen nicht zu sagen, ob er groß oder klein sei (Geruch von Feldspital, Eiter, Abortkübel, ein ordinäres Desinfektionsmittel; er hielt stand, auch dort, ihm hob sich der Magen immer erst nachher, oft sogar beim bloßen Darandenken), in der erfüllenden Woge von Schweiß und Körperschmutz der seit Wochen nicht gewaschenen, nur heute anläßlich des Ausgangs flüchtig gesäuberten Männer; das Petroleumlicht auf der winzigen Bühne konnte jeden Augenblick erlöschen.

Das war der Trick, die wirksame Verschärfung. Es machte aus der Beziehung der beiden ein völliges aufeinander Angewiesen-sein, gab der Szene die Atmosphäre des Privaten, ja des Isolierten, das sich ganz ohne Zuschauer abspielte. Der Feldwebel blies ... worauf blies er eigentlich, womit erzeugte er diese rhythmisch abgehackte Folge von Mißtönen? Der Junge wackelte dazu mit dem — nein, Hintern hatte er überhaupt keinen. Er trug eine rote, stark durchbrochene Damenbluse und vor den

Schenkeln einen gestickten Kinderlatz, der sich bei jedem Schritt verschob und sehen ließ, wofür die Veranstaltung offenbar stattfand. Das, weswegen der Feldwebel eifersüchtig darüber wachte, daß der Junge in Reichweite blieb; die Größe war bemerkenswert und der Junge ließ es in den Bewegungen an Deutlichkeit nicht fehlen. Er (damals noch lange nicht Leutnant) dachte, Teufel, da gehören doch Frauenzimmer her, das war eine ausgemachte Weibersache; eingekeilt zwischen den Landsern; ihr Atem, die aufgerissenen Augen. „Herrgott, der Junge — — der Junge!" Indes er wackelnd, vor und zurück stoßend, immer näher an den Spieß herangeriet, zuletzt von seinem gewaltigen Rücken halb verborgen — ja, der Schmale dort lag ähnlich in der guten breiten Deckung.

Betrug und Selbstbetrug? Er gönnte es dem Dikken — als ob die zwei Daliegenden mit jenen andern beiden überhaupt was zu tun hätten! Der Junge hier und dort — magerer als sich ausdenken ließ (und dort: das Empfindsamste von einem Gesicht) ah, wovon er überzeugt war, daß niemand es merkte, daß keiner sich darüber aufhielt — die zerschlissenen vollen, weich elastischen Lippen, gestrafft, ein ständiges Beben niederhaltend, was für ein Mund! Unerträglich, daß es ihn schüttelte — ob die zurückgehaltene Verachtung des Generals, die nicht zu äußern er für gut fand, genau so auch jenem andern (sogar j e n e m a n d e r n) Jungen gelten würde, wenn ER dabeigewesen wäre, wenn ER ihn gesehen hätte?

Der General in dem unzerstörbaren Gehäuse seiner Überlegenheit sah aus, als nehme er es dem Adjutanten übel, daß er ihn veranlaßt hatte aus dem Auto zu steigen. Er schaute flüchtig über den Hang, irritiert, ein gewisses Aufbrausen unterdrückkend, das Bataillon, er wußte bereits jaja. Noch zwei Minuten die Augen am Glas entlang der Strecke oben bei den Kiefern, wo sie, nun die Stellung ihnen gehörte, die Maschinengewehrstände einrichteten. Plötzlich saß der General wieder im Wagen, der Adjutant wie ein Akrobat hinterher, sie standen stramm, Blick auf die enteilende gelbgraue Wolke.

Nicht gespielt und keine Übertreibung, aus dem Innersten aufsteigend, diese Mimik der Verachtung, eben unzerstörbar; nur manchmal vielleicht abgedämpft, aus taktischen Gründen nicht gezeigt, schon unbewußtes Verhalten. Er sah hin zum Unterarzt, wie rettete der sich aus dem Konflikt? Es gab nur die Möglichkeit des Tobens, der besinnungslosen Revolte oder — — ah, IHM unter die Haut schlüpfen, ER SELBER sein (die Rettung in die Kommandiereinstellung, in die Zugehörigkeit)! Er sagte scharf zum Unterarzt:

„Fehlt nur, daß Sie zu flennen anfangen. Halten Sie wenigstens den Arm ruhig!"

Aber allmählich versagte sogar der General.

Das noch Erträgliche, dagegen aufzubegehren ihm einfach nicht einfallen würde, sank hinweg vor dem würgend Unerträglichen (um sich schlagen, schreien vor Wut oder um Hilfe?), während er so tat als verhielte er ein ergebenes Lächeln. Nur dieses Zucken im Gesicht entlang der linken Wange, das er nicht in der Gewalt hatte, das jetzt heftiger auf und ab ging, nicht länger als er den Blick scheu, geprügelt, ein Resignierter im verlorenen Spiel, von den Stiefeln des Hauptmanns aufwärts hob.

Also hatte er die erste Demütigung schon hinter sich. Der Zug, dessen Bewegung dem Marschtempo angepaßt wurde, stand seit zwei Stunden. Unerklärlich, daß er nicht früher... aber schließlich hatte er es entdeckt und sich sofort aufgemacht. Die Tür war offen — wenn er IHN angetroffen hätte, es wäre eine Kleinigkeit gewesen, Kontakt zu schaffen, seine Ergebenheit würde den Tisch überzeugen, an dem ER saß —

Er hatte bereits die Griffstange gepackt, da fühlte er die Hand auf der seinen, sah auf, dem Stabsgefreiten in das sauber ausrasierte Gesicht; die Frisur, diese Uniform und das weiße Hemd, das aus dem Ärmel hervorkam, Kammerdiener, dachte er sofort. Der Gepflegte sagte vertraulich:

„Hier dürfen Sie nicht herein. Wissen Sie denn nicht, wer hier —?"

Vielleicht redete der Kerl weiter, aber er verstand nicht, denn er brüllte (in der Gewißheit, daß der General nicht zu Hause war):

„Was unterstehen Sie sich! Sehen Sie nicht, wen Sie vor sich haben?"

Der Mann trat ein wenig zurück, richtete sich auf. Wenn es als Haltung gemeint war, wurde es durch das Lächeln sofort rückgängig gemacht; er lächelte nicht so sehr impertinent als amüsiert. Da — aus dem Nebenwaggon die Stimme:

„Leutnant, kommen Sie mal rüber!"

124

Der Adjutantenwagen, drinnen der Erste. Der Artilleriehauptmann erhob sich salopp, sank zurück in den nach „Beitreibung" aussehenden Plüschfauteuil. Die Stiefel (braunes Juchten, geschmeidig, mit diesem Geruch, benebelnd wie ein Frauenbett, mattfunkelnde kleine Anschnallsporen) und s e i n e vertretenen, vom Kompagnieschuster zurechtgemachten Knobelbecher. Dazu war er im Eifer über die brachliegenden nassen Felder gewatet. Was hier gegeneinander stand und sich um jeden Preis unterkriegen wollte, kam in diesen Stiefeln und seinem von Schweiß und schlechtem Lederfett stinkenden Marschierzeug bis zur Erschöpfung zum Ausdruck. An diesem Gegensatz würde er scheitern; er fühlte im Augenblick die Grenze, sein vorbestimmtes Unterliegen, die Wand, an der es nicht weiterging.

Der Hauptmann runzelte die Stirn mit etwas zu betontem Erstaunen:

„Sie haben wohl wen andern erwartet?"

Er schluckte noch immer an dem, was ihm nicht über die Lippen wollte. Vielleicht stieg es ihm tatsächlich rot die Wangen herauf. Der Ältere („Herr Architekt —" dachte er) hielt in der Tür an, den Blick fragend zwischen ihm und dem Hauptmann:

„Was Neues?"

Der Hauptmann sagte:

„Er hat wieder 'ne Badewanne ausfindig gemacht. Diesmal braucht er zwei Kompagnien, um sie zu erobern."

Der Oberleutnant wies wenigstens auf einen Stuhl; aber er schlug bereits vor dem Hauptmann die kotigen Absätze zusammen. Und zum Älteren gewandt, nicht „Gestatten, daß ich —", sondern „Ich bin zu meinem Major bestellt."

Ah, soviel Voraussicht und Vorsicht noch jetzt in aller Ermüdung und Gleichgültigkeit. In einer Stunde würde es wieder die Schrapnells über ihren Köpfen geben, das Niederwerfen ins faulige verbrannte Sommergras oder zwischen die aufgeweichten Radspuren ... das Aufstehen mit dem Blick nach links und nach rechts. Zögerte der andere, wollte er sich noch ein paar Sekunden wohltuend hinstrecken oder lag er bereits zum letzten Mal hingestreckt? Und wieder aus dem tiefsten Innern die lautlose Stimme, die um jeden Preis zum Schweigen gebracht werden mußte, „Wofür —?" Die Kommandiereinstellung zur Schau tragen bei einem Dasein, das sie stündlich Lügen strafte, hahaha — —

III

War es aussichtslos, mußte er an dem Hauptmann scheitern? Von nun ab mied er die Adjutanten, übersah sie, tat als würde er erst aufmerksam, wenn einer nach ihm schrie. Aber er schlug verstärkte Spähtrupps vor, schärfte den Leuten die Gefahr ein, in der sie sich nachts befanden. „Partisane!" — Das gab dem armseligsten Landstreicher den Nimbus hinterhältiger Bedrohung. Er befahl im eigensten Interesse den sofortigen Gebrauch der Waffe und war nach einer Woche so weit, daß er die Meldungen gar nicht mehr zu fri-

126

sieren brauchte. Sie zogen durch Partisanengebiet —
diese Vorstellung begann von unten herauf um sich
zu greifen, darin lag alles Feindselige und rätsel-
haft Unverständliche, ja Verhängnisvolle beschlossen, das die Landschaft in ihnen aufrief.

Als zögen sie fort von dem, was noch wie eine
Art des Wohnens und Zusammenlebens aussah, weit
und breit nichts, das auf menschliche Absicht schließen ließ; nicht einmal die Gestelle der Strohtriften
gab es auf den verlassenen Feldern.

Der kaum zu durchdringende Schlangenstreifen
eines wasserlosen Flusses zog sich ins Endlose, nie-
deres Gestrüpp, Akaziendickichte, langnadelige,
sonderbar krüppelhafte Föhren. Als seien die mühsam erkennbare Straße, die schräg stehenden, schon
schütter belaubten Bäume, der ausgeblaßte, immer
höher werdende Himmel gar nicht Stücke der Umgebung, sondern etwas tückisch Vorgegebenes, um
sie dazu zu bringen, daß sie nun unabänderlich in
die ausweglose Verrücktheit hineinmarschierten.

Aber der Artilleriebeschuß hatte aufgehört und
auf die sogenannte Feldbahn sollten sie erst wieder
in ungefähr einer Woche stoßen. Natürlich tauchten
auch hier die Adjutanten auf, alle drei auf einmal.
Auch der Ältere war schon im Vorbeireiten, als er
sich besann:

„Hören Sie, mein Lieber, Ihre Berichte schauen
ein bißchen merkwürdig aus. Ich glaube, Sie sehen
Gespenster."

Der Hauptmann voran, drehte sich im Sattel um:

„Gespenster? Ich denke, er sieht hauptsächlich
Badewannen."

„Herr Oberleutnant, ich kann nur berichten, was meine Spähtrupps melden."

„Aber die Schüsse, sehr vereinzelte Schüsse wie Sie zugeben, können ebenso gut der Jagd gelten."

„Kommt immer noch darauf an, wer da jagt."

Indes der Oberleutnant nachdenklich wurde (wenn auch nicht geneigt, das Gespräch fortzusetzen):

„Gewiß, es sind kleine Gruppen, immer nur eine Handvoll Leute, und sie haben noch kein einziges Mal gewagt, sich in eine Schießerei einzulassen, aber wir werden beobachtet, und eines Tages — —"

Die Hand des Oberleutnants, die bereits den Kappenrand berührt hatte, kam ihm entgegen, bot sich plötzlich zustimmend der Verabschiedung dar. Der Oberleutnant sagte noch:

„Was hält denn Ihr Major von der Sache?"

Es ging gegen den Hauptmann-Adjutanten, den Feind, sollte er da ausbiegen? Er nahm den vertraulichen Ton auf, behauptete kühn:

„Sie kennen seinen Standpunkt. Unter vier Augen allerdings —. Vielleicht wäre alles einfacher, wenn ich die Angelegenheit — — aber da ist wieder —" fast schreiend — „Sie wissen, Ihr Herr Hauptmann."

Der Hauptmann verhielt sein Pferd, sah eher belustigt als erstaunt herüber.

Oft und immer wieder, das Glas vor den Augen, hinter einem Baum hervorlugend, jeder konnte sehen, wen er beobachtete. Keine Täuschung: drüben stand DER ANDERE im Türausschnitt (immer morgens und zu Beginn der Mittagsrast), sie hatten einander im Blickfeld, unmöglich, daß ER nicht wußte, wer IHM gegenüber so viel aufmerksamstes Interesse bewies, daß ER nicht Erkundigungen eingezogen hatte. Litten sie nicht dasselbe, als sei der gleiche leere Raum über sie beide gestülpt, den mit Phantasien auszufüllen immer schwieriger wurde? Fühlte auch ER sich erschöpft und ausgebrannt am Morgen, hielt den dröhnenden Kopf ins Schaff mit dem eiskalten Flußwasser?

Am Abend schrieb er hitzige Briefe, an die ehemalige Garnisonsfreundin, die Försterstochter im Schwarzwald und an die Wirtstochter in Niederösterreich. Die Deutsche — dunkler, mit breiteren Hüften, gieriger, ausgedörrt vor Verlangen; alles an ihr war Nachgiebigkeit. Nur ihr Busen gab nicht nach. Er schwenkte sie an der mit Birkenästen geschmückten Musiker-Estrade vorbei, hinaus aus dem Bier- und Krautgeruch, preßte sie an sich, daß es wehtat. Sie verzerrte den Mund in einem fast lautlosen Wimmern, indes er ihre kleinen, prall gefüllten Mehlsäcke drückte. Draußen schlug der Herbstnebel feuchte Tücher um sie, der Mond und zwei Laternen schickten gelbliche Lichtzacken zwischen den Bäumen hin und her. Kaum daß er sie an der Brust gepackt hielt, sank sie aufs nasse Laub, nicht fünfzig Schritte vom Haus.

Von hier führten die Gedanken in das schmale Bett der Kammer, Teufel, man konnte alles mit ihr machen, er schrieb, als sei er gestern das letzte Mal bei ihr gewesen. (Während seine Briefe sie nach zwei Jahren wieder aufweckten; sie brachen einen krampfigen Widerstand, geradezu eine Lähmung, die sich nach seiner Verfrachtung an die Front überraschend eingestellt hatte; der Unteroffizier, der sich vielleicht zu unentschlossen und ungeschickt lang genug bemühte, war verblüfft über die rätselhafte Wendung. Dieselbe Wirtschaft, das gleiche Bett in der nahen Försterei.)

Die Niederösterreicherin — hellblond, einzige Tochter und Erbin, die zwei Brüder waren schon gefallen. Vielleicht daß er deshalb den Bewerber spielte.

„Komm, dann komm!" Sie dachte nicht daran, ihren Wunsch zu verbergen, nahm ihn eilig mit, stieg voran die Leiter hinauf zum Heuboden. „Ein Umweg ja, aber wenigstens sicher, niemand wird uns stören!"

Schmäler, jünger, härter, aktiver als die Deutsche, dichten weißlichen Flaum auf der Oberlippe und auf den Armen. Ehe er gegangen war, hatte er gefragt:

„Willst du mich nicht den Eltern zeigen?"

„Damit sie aufmerksam werden, Verdacht fassen?"

„Ah, natürlich!"

„Ich bin nämlich verlobt."

„Ja, aber —." Er fand es klüger, den Einwand hinunter zu schlucken.

War es nicht als entsprangen die Briefe einem gemeinsamen Leiden, ihrer Zusammengehörigkeit? Obwohl kein Auto am Abend vor seiner Zeltplache hielt, es keine Waggontür gab, durch die man zu ihm gelangte? Nachts stand die „Feldbahn" still, versank in den trüben Wogen des Abgrunds, in dem sie stöhnend dahinschwammen wie Gewürgte, ge-

130

stikulierend, dösend, schlaflos und schlafgepeinigt.

Um die Mittagszeit war das Auto bereits nicht mehr da, einmal während der Rast unterschied er IHN im Türausschnitt, erkannte im blauen Ärmel eine Frauenhand, die eifrig ein Tüchlein schwenkte. Er starrte noch immer in die Richtung, als die wirbelnde Staubwolke längst vom Horizont aufgesogen war. Sie gehörten in einer Weise zueinander, daß er die Pein SEINES Ungenügens an dem Ersatz (er war überzeugt, sie, der die winkende Hand gehörte, war nur Ersatz) wie mit einem neuartigen Fühlorgan aufnahm, SEINE Verquältheit der eigenen annäherte.

Das war nicht lange vorher, aber immerhin ehe ER nachts bei ihm auftauchte. Es konnte aber ebenso gut sein, daß die Szene im Waggon bei IHM stattfand, eine Szene, die sich immer häufiger wiederholte. ER stand mitten im Raum (dem Innern SEINES Waggons?) hinter sich das zerwühlte Bett, in dem ER vergebens Schlaf gesucht hatte. Aus solcher Nähe merkte er, daß ER ein gelblich-gedunsenes, eigentlich fettes Gesicht hatte, ER war nie rasiert und blickte immer an ihm vorbei, wortlos, die Augen aus dunklen Ringen auf etwas gerichtet, das sich hinter ihm befand und das dennoch er sein mußte. SEIN Ausdruck war nicht ungeduldig, auch nicht abwartend und gar nicht vorwurfsvoll, am ehesten resigniert.

Später saß ER am Tisch ohne daß SEIN Gesicht sich verändert hatte, trug eine alte Pyjamahose und eine verschlissene Uniformjacke, an der die Knöpfe abgerissen waren. Das Gefühl, daß die Begegnungen sich bei IHM im Waggon abspielten, war sehr deutlich, beinahe die Gewißheit.

Geredet? Geredet wurde überhaupt nichts, es war als wüßten sie beide jedes Wort. Ja, genau genommen war alles, was hätte gesagt werden können, plötzlich und gleichzeitig, nicht in einem Hintereinander da und gegenwärtig; sinnlos es eigens auszusprechen. Zuletzt kostete es kaum Mühe, die Frage der Szene bei IHM oder bei ihm abzuweisen, weil das Milieu von Mal zu Mal unwichtiger wurde. Bedeutsam (nicht in dem Maße, wie es einer so einschneidenden Sache zukam): er hatte den durch nichts auszulöschenden Eindruck, daß sie im Grunde ranggleich waren, wobei er den gleichen oder annähernd gleichen Rang IHM, SEINEM Entschluß oder Vollzug oder Willen verdankte.

Unerträglich aber war, daß aus SEINEM erwartungslosen Gesicht, unveränderbar, keinen Vorwurf, keine Anschuldigung enthaltend, die Überzeugung auf ihn eindrang, daß sein Leben, genarrt, von Entbehrungen erdrückt, von Hoffnungslosigkeit umstellt, das tröstlichere und zukunftsvollere wäre gegenüber dem SEINEN. Und daß er dies hinnahm, ohne den Versuch zu widersprechen oder sich zu rechtfertigen — etwas, das auch ihm klar und über allem Zweifel war, so daß der Hauptmann sagen konnte:

„Sie haben Glück! Ihre Berichte fangen an, den General nervös zu machen. Er fragt mich: Wissen die Leute überhaupt noch, was Krieg ist?"

Im übrigen taten alle drei als sei er nicht vorhanden. Der Major hatte ihn zu der Besprechung holen lassen. Der aktive Major, der jetzt öfter auch Untergebenen versicherte, er habe „Weib und Kind, eigentlich drei Kinder, eine ganze Familie", stellte plötzlich (und nicht nur vor den Adjutanten, die kaum an sich hielten, wie gleichgültig es ihnen war) die Frage, was aus ihnen werden solle, nicht von der Hand zu weisen, daß er zunächst wohl sich selber meinte. Der Hauptmann erhob sich, Haltung und Stimme machten es deutlich, er wußte, daß er hier für den General sprach:

„Nun — immer wieder Plünderungen und Partisanen, wohin soll das führen? Bei der nächsten Gelegenheit muß endlich zugepackt werden, und zwar ordentlich, Sie verstehen. Ich darf also dem Herrn General melden — —"

„Jawoll, jawoll, selbstverständlich! Wie sich die nächste Gelegenheit bietet —"

Dann saßen sie einander allein gegenüber. Der Major bekam einen eigentümlich nach innen gewendeten Blick als sähe er etwas, das nur ihm wahrnehmbar blieb, fast ein wenig zu eigentümlich:

„Wissen Sie (die belegte Stimme, nicht als wolle er leise sein, sondern als koste es ihn eine ungeheure Anstrengung, jede Rücksicht beiseite zu tun), mein Vater war auch ein Aktiver, Sohn eines Bedienten bei 'nem Grafen dort oben, ja wir waren eine aufstrebende Familie! Aber Sie sehen, weit sind wir nicht gekommen. Die Grenze ist auch bei uns von außen gesetzt... Was glauben Sie, wie mein Vater nachher die Familie durchgebracht hat? Als Nachtwächter, jawoll, bei der Industrie, bewachte irgendwelche Magazine. Dabei hat er sich auch das steife Bein geholt; eine Schießerei mit Einbrechern ... wir waren nämlich vier Kinder —"

Er verstummte, sank noch mehr vornüber, raffte sich endlich zusammen, als tauche er mühsam herauf an die Oberfläche:

„Und was, wenn die Nachricht von den nächtlichen Plünderungen stimmt? Warum, hören Sie w a r u m mußten Sie uns (er sagte nicht ‚mir‘, er sagte ‚uns‘) das aufhalsen, gerade jetzt?"

„Gestatten Herr Major, S i e führen das Regiment —"

„Sie meinen, was davon übrig ist."

„Ich würde ... selbstverständlich würde ich —"

Schließlich begriff der Major, wo der Leutnant hinauswollte:

„Wenn das heißen soll, daß Sie nicht nur auf Ihre Informationen schwören, sondern auch die Verantwortung für die ganze Sache übernehmen — nämlich auch die Durchführung — —"

Ah, das war natürlich was anderes. Gewiß, gewiß, mit einem Mal hatten auch in den Augen des Majors diese Plünderungen genügend Realität gewonnen ... Jedenfalls würde er dafür sorgen, daß ... Aber wann? Eine ganze Kompagnie herausziehen, jawoll, aber zum Teufel wann?

Der Major schwieg davon, daß er trotzdem eine gewisse Beklemmung, eine hartnäckig sich allen Argumenten entziehende Unruhe nicht los wurde. — Nun, er würde dafür sorgen, daß seine Befürchtungen, im Falle es nicht bei ihnen blieb, ausschließlich den Leutnant betrafen. Richtig — Befehl war noch immer Befehl, doch unter der Gelassenheit, mit

134

der hier der Apparat in Funktion gesetzt werden sollte, wartete bereits... Vielleicht nur, daß die Unsicherheit, mit der ein längst erfolgloses, immer deutlicher ins Nichts verrinnendes Unternehmen in Zuversicht umgebogen werden mußte, eben von Tag zu Tag unerträglicher wurde, die Täuschung schwieriger, Selbstbetrug ein Gedanke, der sich immer unverhüllter von den rasch versuchten Beschwichtigungen — Hilferufe, genau wie Hilferufe! — abzeichnete.

Der Hauptmann war kein Hindernis mehr, aber die ganze Landschaft schien daraufhin angelegt, ihm vor Augen zu führen, daß der Erfolg noch ausstand. Baumgruppen? Dunklere Flecken, vom Löschpapier des Horizontes aufgesogen, die Stadt mit dem unaussprechbaren Namen noch immer ein Phantom der Karte. Nichts von dem in der Runde (Landhäuser, Fahrwege, Gärten), das eine große Siedelung schon aus der Ferne ankündigt. Die „Feldbahn" bewegte sich kaum noch im Tempo der Truppe; die Pioniere, ausgeschickt Bäume zu fällen, lieferten ein paar vorgefundene Holzstapel ab, armdicke durchnäßte Stangen.

Der Leutnant deutete gegen den Horizont, wo die Bäume jetzt ein Wäldchen bildeten, neben dem sich etwas erkennen ließ, das man sogar für eine Kirchenkuppel halten konnte. Sicherlich, dort war Leben, zugegeben feindliches Leben, aber auch Holz (und ganz bestimmt Badewannen). So gering die Aussicht sein mochte, daß die Dame nachkam... oder daß vielleicht eine neue — —. Je müheloser die Wanne jetzt herbeigeschafft werden konnte, gewissermaßen im Nebeneffekt eines plausiblen Unternehmens, getarnt und gekoppelt mit der Befreiung von den Plünderern, um so wahrscheinlicher würde es ihm erspart bleiben, später unter schwierigeren Umständen vielleicht ein wirkliches Risiko auf sich zu nehmen.

Der Marsch weg von der allgemeinen Route in die Tiefe der Ebene hinein löste bei seinen Leuten Gespräche aus, die er standhaft überhörte. Dann war mit einemmal Unterholz und Gesträuch da, üppige Brombeerranken mit verschrumpelten Blättern und dicken süßen Früchten. Von den braunwipfeligen Jungeichen gingen Fasanen hoch und die Kaninchen sprangen hinter die modernden Wurzelblöcke oder verschwanden in ihren Erdlöchern. Im Nu war die angeregteste Jagd im Gange.

Die verwachsenen Buchswände, die Spuren der gekiesten Wege bezeichneten, hoffte er, nur ihm den ehemaligen Parkbeginn. Verkohlte Grundmauern und das heruntergerissene Dach wie eine mißglückte Maßnahme der Löschversuche, aber der schmale Flügel, der sich seitlich zwischen die im Gestrüpp versinkenden Bosketten schob, war völlig intakt, sogar die Fensterscheiben hinter den Jalousien gab es noch.

Plötzlich der Mann, der flüchtend ins Haus verschwand.

Wer hatte ihn noch bemerkt? Ah, dieser Bursche, der Noch-Leutnant funktionierte im Unterbewußten bereits so vollkommen, fand im Sprung das Richtige, daß er solche Momente in der Erinnerung wohl am liebsten überging — zu schwierig, hier zu fälschen oder die Umformung ins Heroische durchzuhalten. Er rannte also schreiend zurück, fand nach ein paar hundert Schritten die Leute um einen Kaninchenbau, um eine ganze Kolonie solcher Löcher versammelt. Die beiden MGs feuerten hinein, daß die Erdfontänen hochauf spritzten.

„Seid ihr total verrückt?! Werdet euch wundern, wozu ihr die Munition noch brauchen werdet! Rasch nach vorn, auf die Türeingänge zuhalten, ungefähr in Kniehöhe."

Zweifellos hatte seine anerkannte Kommandostimme jetzt den privaten Timbre glaubwürdiger Erregung. Nun hing alles daran, bei den Leuten das Gefühl des Angriffs oder wenigstens der Verteidigung wachzuhalten. Jedenfalls belferten sie auf die dünnen Jalousietüren los, die bald so zertrümmert waren, daß man zwei Getroffene dahinter auf dem Fußboden liegen sah.

Feuer einstellen. Der Dolmetsch brüllte, sie sollten herauskommen. Natürlich würden sie nicht —. Aber das war falsch, man hörte Stimmen und ehe noch der Eindruck feststand, daß es sich um Meinungsverschiedenheiten handelte, kamen die ersten heraus. Sie behaupteten, die Gewehre seinerzeit zurückgelassen zu haben, Deserteure, das Gegenteil von Partisanen, vielleicht sogar von Soldaten. Plünderer? Wahrscheinlich nur so weit, als die Lage sie dazu zwang. Neun Mann, sie hatten sich abseits der begangeneren Straßen hier häuslich eingerichtet, offenbar um abzuwarten.

Keine Waffen? Der Unteroffizier kitzelte einen mit dem Bajonett an der Kehle, während der Dolmetsch ihm den Kopf an den Haaren nach hinten riß.

„Also her mit den Gewehren, und wie viele seid ihr?"

Sie sahen sofort, der Mann log — keine beschwörende Wiederholung, nichts von der entrüsteten Eindringlichkeit dessen, dem unbegreiflicher Weise nicht geglaubt wird. Der Mann rollte die Augen, dachte nach, erwog unter den Drohungen des Dolmetschs sichtlich eine günstigere Variante seiner Behauptungen. Indessen hatten sich ein paar aufgemacht, waren ins Haus verschwunden. In der geheimnisvollen Bezogenheit, nach der Wille und Intention sich fortpflanzen, handelten sie vielleicht unter einer ähnlichen Abhängigkeit, wie sie bei ihm von dem Hauptmann-Adjutanten (er wagte es zu denken: zwischen ihm und dem General) bestand. Vielleicht hätten auch sie ihm am liebsten nicht erst die Nachricht, sondern gleich die Badewannen selber gebracht. Natürlich, dagegen war eins gegen hundert zu wetten, fiel ihnen erst nachher als sie ihre Toten zählten, wahrscheinlich aber sogar noch später ein, w i e es zugegangen sein mochte, welche verhängnisvolle Rolle nicht einer, sondern gleich eine ganze Reihe von Irrtümern und sorglosen Fahrlässigkeiten gespielt hatte.

Schon weil niemand daran dachte, daß sie doch unter allen Umständen beobachtet würden. Das Haus hatte schließlich vom Keller bis zum Dach Fenster genug. Sie standen also gröhlend um den Mann herum, und was sie mit ihm machten, sah offenbar böser aus als es gemeint war. Kein Wunder, daß es bereits zu knallen begann, kaum daß die ersten im Haus verschwunden waren. Fünf Mann; als die andern nachkamen, „zu Hilfe eilten", weniger erschreckt als neugierig, was los sei, lagen die fünf dort und rührten sich nicht mehr, weitere drei legten sich zu ihnen.

Zurück, kopflos zurück; von den Büschen aus zogen sie den Kreis enger, am Nachmittag drangen sie wieder ins Haus, und im abendlichen Spätlicht hingen sie den letzten an den Staketenzaun, der den ehemaligen Blumengarten vom Hühnerhof trennte.

„Hängen lassen! Bildet euch nur nicht ein, daß wir schon alle gefaßt haben. Wenn sie hier am Zaun hängen, ist es wirkungsvoller als Genickschüsse. Unbedingt hängen lassen!"

Siebzehn Mann, genau so viel als sie selber verloren hatten (außerdem ein paar Verwundete, zum Glück leichte Fälle). Siebzehn Mann aufhängen — erstaunlich, was der Drang der Umstände für Fähigkeiten an den Tag brachte. E r hatte immer wieder nach dieser Situation gefragt, zuerst zaghaft, schließlich dringender, e r vergaß die vorsichtige Zurückhaltung, die das Thema auferlegte. Als wäre es die Hauptsache, das, was ihn am heftigsten anging — nicht wer damals am Nachmittag als erster ins Haus eingedrungen war, also das tatsächliche Risiko eines bösen Endes auf sich genommen hatte, sondern diese im Grunde nebensächliche Henkerangelegenheit (die doch mit seinem engeren Interesse gar nichts zu tun hatte).

Wirkliche Antworten erhielt er nur von dem

Menschen mit der zertrümmerten Stirn, mit dem fehlenden Stück Schädelknochen. Er starrte auf die im Atmen auf und nieder gehende Kopfhaut, erfaßte irgendwie, daß der andere in gleicher Weise, nur ohne es deutlich zu wissen, im Banne der Erinnerung stand, fast sah es aus als redete jeder mit sich selber.

Übrigens schien der Mensch wohl fähig, Beobachtungen zu verknüpfen, obwohl er nicht gerade intelligent erzählte. Oder vielleicht doch — die Bemerkungen über den Unteroffizier zum Beispiel ... jedenfalls hatte er begriffen, daß der Unteroffizier versagt hatte, ein kräftiger Kerl, es wäre gar nicht nötig gewesen, daß er sich die Ärmel hinaufkrempelte (Muskeln, Oberarme!), er hätte den Mann mit einem Griff um die Gurgel kalt machen können, er krempelte sich also die Ärmel hoch, aber nach ein paar Minuten wußten sie, er hatte nur Zeit gewinnen wollen. Dabei mußte er dem Mann gar nicht die Gurgel zudrücken, sondern den Strick umlegen. Aber siehe da, gerade das konnte er nicht — es fing damit an, daß er keinen richtigen Knoten zusammenbrachte, und als es endlich so weit war, zitterte ihm die Hand, daß der ganze Oberarm mitging. Er bekam einen bösartig angreiferischen Zug, schmiß den Strick fluchend hin, wandte sich ab; es war ihm sichtlich egal, was die Leute dachten.

Dieser schmächtige blonde, sozusagen durchscheinende Landser dagegen (hinten, auf den Fußspitzen, der dürre vorgestreckte Hals, die an den Ohren mit einem schmierigen Lappen umwickelte Stahlbrille) stieß sich jetzt plötzlich nach vorn, hatte den

Strick schon aufgehoben und dem Mann umgelegt, dabei griff er ihm in die Hosentasche, zog das Taschentuch hervor (die neue Armee gab nämlich Taschentücher aus, große, bunt gedruckte und sogar weiße Stücke mit farbigem Rand, eine Verbesserung gegen früher) — wie er das nicht mehr saubere, vom Rotz ziemlich zusammengeschrumpelte Taschentuch dem Mann übers Gesicht legte, hinten je zwei Zipfel verknotete, so daß die jappende, blau anlaufende Visage und was sich auf ihr abspielte, verborgen blieb, während der Mann die drei, vier Schleuderbewegungen mit den Beinen machte, die beim Gehängtwerden offenbar unvermeidlich sind — das war tadellos, war sogar großartig.

Und als sich beim Vorletzten herausstellte, daß er kein Taschentuch besaß, griff er ohne Zögern in die eigene Tasche und spendete seines, jawoll. Natürlich zog sein Vorbild ein paar ähnliche Naturtalente zur Hilfe herbei, jedenfalls hing die Reihe, die Gesichter alle ordentlich mit den Taschentüchern verhüllt, so daß auch der Humanität genüge getan war, die Reihe hing gerade ausgerichtet am Zaun, eine durchaus würdige Justiz jawoll, und die Leute (hier war der Mensch noch im Erzählen der Sache, die immerhin Jahre zurücklag, beinahe nachdenklich, zeigte ungeniert, man kann es kaum anders bezeichnen, seine innere Angerührtheit, sozusagen etwas wie Sensibilität jawoll), die Leute standen also herum, keiner sagte ein Wort. Auch der spätere Oberleutnant fand nichts dabei einfach dazustehen, wo doch alles vorüber war und sie hätten nach Haus trachten sollen.

Als ob sie nicht vor und zurück oder vielmehr nicht weg könnten. Plötzlich merkten sie, daß der eine hinten, der so merkwürdig vor sich hinstarrte und dazu die Lippen bewegte, eigentlich betete. Er bewegte lautlos die Lippen, aber in der Stille, die nun wie eine Plache über ihnen lag, gerieten ihm die Worte eben etwas deutlicher und als es ihnen klar wurde, daß der Mann betete, war vom Wegkommen erst recht nicht die Rede. Herrgott, endlich fiel dem Leutnant das Kommando ein, er war ganz heiser (auch e r hätte in dieser Situation so heiser sein können) und was er da herausbrachte, überhaupt nicht zu verstehen. Aber sie wußten es natürlich und außerdem wiederholte er es sofort, und jetzt hatte er wieder die alte prachtvolle Kommandierstimme, und sie traten weg und drüben im Haus machten sie alles für die Nacht fertig und der Meldetrupp brach auf, der am nächsten Morgen in aller Frühe Wagen und Leute mitbringen sollte, so daß sie ihre Toten abtransportieren und selber mit aufsitzen konnten.

Der Leutnant war splendid, sie durften an die Rumflaschen heran, trotzdem wurde es keine angenehme Nacht. Das dichtere Gras und das viele Gesträuch draußen sogen die Feuchtigkeit an, taunaß und zum Greifen dick schob sich der Nebel herein. Sie saßen schon beim Frühstück, als es dem Spieß und den Unteroffizieren einfiel, daß sie an die Badewanne noch gar nicht gedacht hatten.

Vielleicht hätten sie diese Wanne überhaupt vergessen, der Leutnant jedenfalls tat so, als ob der Gedanke an sie niemals existiert hätte. Vielleicht hatte er sie tatsächlich aus der Erinnerung gelöscht oder es ließen die Ereignisse seit gestern ihn nicht los, als stünden die Toten mit der Wanne in einem Zusammenhang, den man niemals zugeben, ja unter gar keinen Umständen für möglich halten durfte.

Das war also der Zeitpunkt, dachte e r, wo den Leutnant der Schuh zu drücken begann, wo sich die Grenze zeigte und er sich als klägliche Miniaturausgabe dessen enthüllte, der er gerne gewesen wäre. Er merkte — wie eine Befreiung —, daß e r ihn zu verachten begann. Zugleich fühlte e r zum ersten Mal, nicht die äußere Ähnlichkeit, die es nicht gab, aber das Stück ihrer inneren Gleichartigkeit. In sich hineinhorchend mit einer scharfen Wachheit, ganz in der Tiefe ... der blasenwerfende Kern oder wie immer man es bezeichnen will, das alle Möglichkeiten aufwirft und doch nur eine begrenzte (von welchem Anfang her bestimmte? bei ihnen beiden gleichgestimmte) Anzahl davon verwirklicht.

E r strich diesem Kopfkrüppel, dem ehemaligen Jagdgehilfen, fast zärtlich über den Arm, als bitte e r um Vorsicht, um das sorgfältige Abwägen auch der unbedeutendsten Erinnerung (ohne daß e r wagte, ihm die Absicht des Gespräches klar zu machen).

E r behielt sich in der Gewalt, aber e r atmete hörbar.

Wie sie in das Gutshaus eindrangen, in diesen leeren Trakt oder was es sein mochte, wer hatte denn da mitgetan?

Ein paar Leute, möglich, sogar sicher, daß ein Unteroffizier dabei war.

Die wurden also umgelegt. Aber am Nachmittag, als sie bereits wußten, was sie riskierten, daß es nämlich knallen würde, wer ging da als erster?

Natürlich der Leutnant. Er lief voran und repetierte seine Pistole in den halbdunklen Gang, aus dem gleich im Anfang die Schüsse gekommen waren. Wahrscheinlich hatte er Erfolg, denn eine gute Viertelstunde blieb es ruhig.

(Nein, e r wäre nicht — —, e r hätte die andern vor sich her und hinein kommandiert; vielleicht hätte e r auch geschossen, aber über sie hinweg; sie hätten gar nicht merken dürfen, in wie guter Deckung e r folgte.) Welches Bedenken hinderte i h n, welcher Widerstand ließ i h n zögern? Schließlich fragte e r doch:

„Es hätte ihn leicht erwischen können, nicht wahr?"

„Keine Frage. Aber denen, die so drauflos gehen, passiert oft nichts."

Und hier streifte es i h n, aufs flüchtigste nur, aber es streifte i h n — nicht die Verantwortlichkeit des Leutnants oder des Generals (als ob es auf die Charge ankäme!), nicht das subalterne Draufgängertum, die Abwesenheit jeder Vorstellung dessen, was geschehen könnte, sondern — GOTT, in dessen Obhut und Voraussicht sie alle... wie gesagt, es streifte i h n nur, e r war nicht der Mann, Gott mit dem, was sie da anrichteten, zusammenzubringen.

Es war also nichts weiter als eine der üblichen Rückzugsschießereien gewesen, eine Kleinjagd auf ein Dutzend Plünderer, und hatte mit der Absicht

die Wanne herbeizuschaffen, überhaupt nichts zu
tun. (Obwohl die Leute sie völlig unvorhergesehen
in etwas zu gewagt-feierlicher Parodie daherbrach-
ten, zwei trugen die Wanne an der durchgezogenen
Stange und hinterher ging der Trompeter und blies
den Hochzeitsmarsch.) Nicht lange und die Rumflaschen wurden wieder geöffnet. Und jetzt zog der
Leutnant das Meßband hervor, das er eigens für
die Badewanne immer in der Hosentasche trug, und
begann sie auszumessen, einen Meter siebzig lang
und fünfundachtzig breit, die würde im Möbelwagen zwischen Bett und Fenster gerade Platz fin-
den, vielleicht daß der Toilettetisch ein wenig zur
Seite gerückt werden mußte. Außen und innen
glänzend weiß lackiert, ein Prachtstück, vermutlich
Eichendauben, die Tragstange wie neu und eine
Reservestange, die dort, wo sie mit den Handgriffen
in Berührung kam, etwas abgescheuert war.

Mehr als wahrscheinlich, daß der Leutnant auf
dem Rückmarsch bereits an seinem Dienstbericht
formulierte und unter denen, die er bei der Aus-
hebung des Partisanennestes so herausstellte, daß
sie fürs EK zweiter in Betracht kamen, waren zweifellos die beiden, die ihm die Wanne gebracht hatten.

Aber vorher zeigte sich, daß der Wind in den
zerschossenen Fenstern und der feuchte Fußboden
nicht die einzigen Ursachen des unruhigen Schlafes
gewesen waren, denn die zwei Mädchen, die der
Posten, kaum daß alle lagen, hereingelassen hatte,
tauchten mit dem dampfenden Kaffeekessel auf. In
der nächtlichen Finsternis war die Nachfrage nicht

allzu scharf gewesen, nur die erste Reihe gleich bei
der Tür, vier und sechs Mann vom Mittelgang aus,
kamen dran, die übrigen zeigten im Mißtrauen
gegen die Freuden, die offenbar so viel Dunkelheit
zur Voraussetzung hatten, schläfrige Gleichgültigkeit und handgreifliche Ablehnung.

Nun waren die Mädchen wieder da, junge, runde
und gewaschene Mädchen, und obzwar es früh am
Morgen und vor dem Abmarsch war, wo die Bereitschaft auch bei weniger durchdringender Kühle
niemals hoch anzusteigen pflegte, gab es unversehens ein lärmendes Durcheinander, Griffe, Gelächter
und Hin- und Herstoßen. Die Mädchen mit der
Erfahrung zwischen Furcht und Willfährigkeit hielten sich unter schreckhaftem Stimmaufwand, dessen
Fröhlichkeit für das genommen wurde als was sie
gelten sollte, an dem fest, dem sie gerade zuge-
schleudert wurden. Der Ring schloß sich rasch und
allzu eng; die Augen, die Gesichter — an Deutlichkeit war da nichts zu wünschen. Als die rundeste
schreiend an ihm vorbeiflog, umfaßte der Spieß
ihren gewölbten Hintern, sie wäre vornübergefal-
len, aber er hielt sie fest. Und nun vergaß er sich
noch einmal:

„Soll ich antreten lassen, Herr Leutnant?"

Der Leutnant mochte etwas von dem für ange-
bracht halten, was der in seinen Formulierungen
nicht ungeschickte Major als „menschliches Entgegenkommen" zu bezeichnen pflegte, ein Wort, das
jetzt sogar in Gegenwart des Generals gebraucht
werden durfte. Natürlich argwöhnte niemand, daß
dieses Entgegenkommen beim Leutnant diesmal mit

der Badewanne zusammenhing, außerdem gab es ihm hier die Möglichkeit, sich mit einer Hauptrolle einzuschalten und doch unberührt und unberührbar über der Angelegenheit zu bleiben. Er zeigte dem Spieß den Rücken, zog den Revolver (die Geste, die den Leuten gegenüber unterstrich, daß es um mehr als jenen Ernst ging, der ihr tägliches Brot war).

„Bringt sie her, laßt sie nochmals anschauen!"

Er winkte mit dem Revolver, die Leute waren auseinander getreten, die Mädchen standen allein vor ihm mit einem wie im Krampf erstarrten Lächeln, das sich im Augenblick in heulendes Geschrei entladen konnte. Der Leutnant steckte den Revolver weg, war plötzlich und jedem erkennbar gönnerhaft.

„Also —", die Mädchen begriffen sofort, drehten sich langsam im Kreis, „na — sagen wir sechs für jede, auf keinen Fall mehr, verstanden!"

Seine Handbewegung, gegen die es keinen Einwand gab. Der Leutnant hatte sich bereits abgewendet. Er konnte es sich ersparen hinzuhören: immer wieder die Hinweise, wie denn das in den Festungen sei, wo die Mädchen, weil es keinen Nachschub gab, noch ganz anderes an Männern auszuhalten hätten; und hier — so kräftige Mädchen!

Die Autos brachten in die feuchtgrüne Üppigkeit zu viel trockenen Staub von ihrer Straße mit, die Begrüßung war wie der hastige Verlegenheitsgriff nach Ablenkung, wortreich und lärmend, als habe jeder in sich etwas niederzuschreien, einen andern zu beschwichtigen. Die Fahrer standen schweigend vor dem Staketenzaun mit den Gehenkten. Aber der

Zusammenhang zwischen ihnen und den eigenen Toten mochte von denen, die den Hergang berichteten, noch so rechtfertigend gemeint sein, er hatte mit einemmal nichts Überzeugendes, war weit entfernt von Vergeltung oder gar von Genugtuung.

Um die Toten auf die Wagen zu heben, mußte man sie anfassen, die meisten lagen in ihren Mänteln, schon steif, aber noch wie festgehalten oder verharrend in einem erregt abweisenden Lebensmoment, die glasigen Augen derer, denen man nicht die Kappe übers Gesicht gelegt hatte, sprachen von einer kalten rücksichtslosen Verneinung. Mancher hielt die Zunge über die ausgetrocknete Unterlippe, und sogar diese starr gewordene Bewegung war von einer Verachtung, die keiner von den Lebendigen jemals so ungehemmt zu zeigen gewagt hätte. Alle Toten wirkten maßlos schmutzig, viel schmutziger oder auf eine andere Weise schmutzig als die Lebenden.

Dieser Schmutz unterstrich ihren sie isolierenden Zustand: als befänden sie sich in einem Stadium offenkundiger Auflehnung, die sie nun nie mehr preisgeben und in der sie am Ende siegreich sein würden. Gerade das machte sie unheimlich, verhielt die peinliche Frage, ob man es riskieren, sich ihnen anschließen solle. Plötzlich der hilfreiche Ausweg, das vor einem selber stichhaltige Argument, die Entscheidung wegzuschieben, vielleicht zu vergessen: das Gekreisch im Haus, Klatschen auf nackte Schenkel, Singen, Gelächter — recht gehört? weibliche Stimmen, zweifellos WEIBLICHE Stimmen — — zwei, drei ließen die Toten, „mal sehen, was los ist", machten sich davon. Die älteren mit Erfahrung kümmerten sich nur um das Verladen der Jagdbeute. Der erste Haufen — Kaninchen, der zweite — Fasanen und Rebhühner, daneben lagen drei Truthähne.

Zweifellos, ihre Rückkunft bedeutete einiges Aufsehen. Unter dem Geschrei des Leutnants wurde das Loch in der Kolonne, dort wo die Kompagnie hingehörte, breiter, er stopfte sie hinein, an ihren Platz, verrenkte sich den Hals nach den Adjutanten, die nirgends zu entdecken waren.

„Die Berichte!" Für den Major und erst recht für den General, natürlich — Berichte, Berichte! Aber auch beim Begräbnis der Gefallenen suchte er die Adjutanten vergeblich.

Am gleichen Abend noch kam ein Unteroffizier mit drei Mann, sie luden die Truthähne, die Fasanen und ein paar Kaninchen auf. In der Überlegenheit des nicht wegzudisputierenden Erfolges ließ er sich mit den Leuten ein, merkte befremdet, beinahe erschrocken, sie waren völlig ahnungslos. Schließlich erwähnte er die Badewanne, begegnete verständnislosen Gesichtern.

„Jawoll —", erinnerte sich endlich der Unteroffizier, eine Badewanne sei vorgestern zum General gebracht worden. Der Herr Hauptmann persönlich habe es befohlen. Auch nicht der Gedanke, es sei irgendwas geschehen, das mit seinem Namen in Verbindung gebracht werden könnte.

Am nächsten Morgen stand er knapp am Geleise, wo der Zug im Tempo der marschierenden Truppe vorbeimußte, sprang auf den Adjutanten-Wagen.

Drinnen saß der Hauptmann allein. (Wo steckten der Junge und der Oberleutnant, aus denen sich auch bei mehr als durchschnittlicher Harthörigkeit wahrscheinlich einiges herausholen ließ?)

Die „Adjutantur" war eigentlich eine Bretterbude, auf den schmalen Grundriß des Waggons gestellt und mit einer giftgrünen Tapete ausgelegt. Der Stabsgefreite servierte in weißer Schürze ein Tablett mit belegten Brötchen ab, ließ die Kontuschowkaflasche stehen, aber brachte kein zweites Glas.

Bildete er es sich ein? Der Hauptmann tat, als erkenne er ihn nicht, habe ihn nie gesehen. Er meldete sich also. (Was zwang ihn darauf einzugehen? Fühlte er bereits in dieser Minute, daß er den General brauchte, daß er ohne IHN nichts war?) Das Lächeln, die Ironie des Hauptmanns:

„Ah, natürlich!"

Sich der aufsteigenden Wut und Erbitterung überlassend, während sein Gesicht davon fast nichts verriet. Sie saßen einander gegenüber und was gesagt werden mußte, besorgten in schweigender rücksichtsloser, zu nacktem Hohn gesteigerter Eindringlichkeit ihre Fußbekleidungen. Die Stiefel des Hauptmannes standen parallel nebeneinander, der Leutnant tastete sie mit den Augen ab, fühlte an seinen Händen ihre Geschmeidigkeit, atmete den aufregenden Juchtengeruch ein, ergab sich dem Glanz der eleganten Sporen, erlag einem unerbittlichen Zwang, die Beinstellung seines Gegenüber nachzuahmen, um zu erkennen, daß er einer ungeheuren Herabsetzung preisgegeben war; seine vertragenen Kommisstiefel (sorgfältig geputzt, die abgeschabten Stellen schienen dadurch nur um so sichtbarer) waren mit einemmal etwas so Unzulänglich-Lächerliches... was eigentlich hüllte ihn ein wie ein Brand, riß ihn um und trug ihn davon, daß es nichts anderes gab sich festzuhalten als sein Sturmmesser, das er am Koppel trug... ein paar Minuten nie gekannter Besinnungslosigkeit, die beschämende Enthüllung wettzumachen, sein vergebliches, im Spott des andern erstickendes Aufbegehren... ah, das Messer herausreißen und ihm in die Brust stoßen, um diese Pein zu beenden, endlich das langsam im Gesicht des andern sich ausbreitende Erstaunen genießen, fühlen, wie er unter seiner Überlegenheit zusammenbrach.

Und niemand kam, der ihm half. Der Hauptmann saß da als warte er darauf, geübt, in kühler Selbstsicherheit, nicht einmal amüsiert, so belanglos war er, so vorbei und am Ende — bis ihm deutlich wurde, daß er die leibliche Anwesenheit des Generals gar nicht brauchte. Was er von IHM in sich aufgenommen hatte und wovon er bis ins letzte durchdrungen war, dagegen konnte der Hauptmann nicht an. Und wie zum Zeichen, was er vermochte — er hatte keinen dahin zielenden Wink des Hauptmanns oder gar ein Wort von ihm wahrgenommen — stellte der Stabsgefreite das Glas vor ihm hin, goß aus der Flasche ein. Mit einemmal erfüllte ihn eine ungeheure Leichtigkeit, ja im Augenblick war es, als agiere ein anderer (der General selber!) durch ihn hindurch, aus ihm heraus, hob das Glas, neigte den Kopf, sagte, dem Hauptmann wie aus weiter

Entfernung in die Augen blickend, mühelos, die Ironie war nicht zu überhören:

„Meine Badewanne war also ein Erfolg."

„I h r e —? Herr Leutnant, Sie scheinen nicht zu wissen —"

„Nicht nur ich, auch der General weiß—"

Kein Zweifel, der Hauptmann sah ein wenig unsicher aus. Und nun ging er zu weit, vergaß, daß er der Leutnant war und trumpfte auf:

„Sollten Sie tatsächlich so ahnungslos sein?"

Der Hauptmann faßte den Leutnant scharf ins Auge, der unter dem prüfenden Blick zögernd hinzusetzte:

„Herr Hauptmann!"

Der Hauptmann hatte das subtilere Organ, trotzdem dauerte es noch eine Weile, dann sagte er gönnerhaft:

„Ich werde also sorgen, daß für Sie was abfällt. Mehr als Ihnen zukommt."

„Hahaha, was Sie nicht sagen!"

Jetzt schien der Hauptmann wirklich überrascht und wieder im Zweifel, er rettete sich in einen noch nie von ihm gehörten Ton, anschnauzend, grob:

„Sonst noch was?"

Nicht mehr zu unterscheiden: er selber oder der General, dessen Wirkung so überschäumend und selbstgewiß nachhielt? Jedenfalls blieb der Leutnant auf seiner Höhe; unter schallendem Gelächter:

„Nur meine Gratulation!"

Richtig, der Hauptmann redete in der Szene unnatürlich langsam, als stecke hinter jeder Äußerung des Leutnants ein verborgener Sinn, eine zweite

Bedeutung, die mit den Worten nichts zu tun hatte und sich nur ungefähr erraten ließ. Dabei machte er den Eindruck, es verursache ihm jede kleinste Bewegung eine gewisse Anstrengung; deshalb war es möglich, daß der Leutnant — noch ehe der Hauptmann die Andeutung des Sicherhebens beendet hatte — bereits auf dem Weg zur Tür war.

Aber davon, auch davon wußte e r nichts und es liegt im Ablauf der Ereignisse, daß e r von dem Gespräch zwischen dem Hauptmann und dem Major gleichfalls nichts erfuhr. Der Hauptmann, ein Aktiver, aber aus vermögender Familie, der dem Kriegsende gelassen entgegensah, hatte jetzt manchmal dem Major gegenüber eine gewisse gönnerhafte Art, die der Major wahrscheinlich selber hervorrief, obwohl er gerade vor dem Hauptmann jedes Wort über das „Nachher" ängstlich vermied. Er brachte dem Major einen Durchschlag seines Berichtes (in der „Adjutantur" war es bequemer Kopien herzustellen). Tja, sagte der Hauptmann beiläufig, natürlich sei er, der Major, dabei auch nicht vergessen worden. Und dann ausgesprochen hämisch als mache er den Major dafür verantwortlich, daß es den Mann in seinem Regiment gab, mit einer kleinen verächtlichen Grimasse:

„Und das ist für den — na, Sie wissen schon. Machen Sie's schlicht und würdig. Haha, der Alte wollte nicht damit herausrücken. Sie kennen seinen Lieblingstext ‚Rückzug! Wir sind auf dem Rückzug.' Aber schließlich war es doch —" er zwinkerte ein, zwei Augenblicke — „eine Aktion gegen Partisanen, sogar mit einigen Verlusten, na —"

IV

Er kam in der noch winterlich verhangenen graugelben Dämmerung stolpernd die Holzstiege herab, stieß die Tür in die Gaststube auf. Der Sturm kollerte mit kurzen schweren Schlägen gegen das Dach, gegen die klappernden, mit Moos abgedichteten Fenster. Die vom Azetylen grell erleuchtete Veranda ächzte bei jedem Stoß auf, als wollte sie in einen Haufen klirrender Scherben zusammenfallen.

Die weitläufige Stube war leer, finster, von einer durchdringend näßenden Kälte. Vom Licht unruhig gefleckte Wogen schwammen nach aufwärts ins endgültig Dunkle, als seien sie die einzigen Gebilde, in denen die schleichende Vernichtung, alles Zwecklose und Vergebliche, Gestalt zu werden vermochte.

Die Tür zur Veranda stand offen, im dicken Qualm, Tabakrauch, Essensdampf, erkannte e r ihn sofort; der ausgestreckte Arm, die Blicke, als sähen die in einer ungewöhnlichen Anstrengung aufgerissenen Augen es genau so wie die Stimme es auseinandersetzte — dabei die drohend spürbare Bereitschaft, sich auf jeden zu stürzen, der nur die Spur eines Widerspruchs verriet.

Nichts vom General — das war längst durchgesprochen, keiner saß am Tisch, der es bezweifelte.

Nun erhob er sich (e r fühlte es wie einen Stich und doch wie etwas Erwartetes: der andere erhob sich, weil er i h n herankommen sah) ohne in seiner Geschichte einen Augenblick innezuhalten. Aber das merkte e r nicht. Diese zwei, drei Minuten waren sehr eigentümlich, e r hatte das Gefühl, daß sie einander entgegengingen, als nähere e r sich ihm in einer solchen Vertrautheit des Hasses und der Verachtung, die den Gedanken geradezu ausschloß, daß er ein Fremder sein könnte. Dabei schien die blindwütige Vernichtung, die aus i h m herauswollte, sich in einem unerträglichen Würgegriff an der eigenen Kehle zu sammeln, unter dem er sonderbarerweise nicht zusammenbrach.

Unter einem unwiderstehlichen Zwang ging er langsam, Schritt für Schritt bis zur Tür, blickte in den Raum, in dem i h m mit einem Mal eine unverständliche Nebelwand alles verhüllte; der nächste Augenblick schloß die Szene laut und für immer ab.

Zuerst e r oder der Mensch mit dem fehlenden Stirnknochen? E r hatte ihn gar nicht bemerkt, wohl weil er an der Schmalseite saß oder i h m den Rücken kehrte. Vielleicht agierten beide gleichzeitig, jedenfalls sah es so aus als wäre es gleichzeitig, daß e r sich umdrehte, während der ehemalige Jagdgehilfe sich rasch erhoben hatte und die Tür zuwarf.

Gröhlend brachen alle los, verstummten schlagartig, vielleicht brachte sie sein Gegenpart mit nichts anderem als einer Handbewegung zum Schweigen, weil ihr Gelächter nicht zu seiner Geschichte paßte.

Nun, da e r die trübe fröstelnde, wie aus einem endlosen Stück Schwärze herausgeformte Stube vor sich hatte, spürte e r den Geruch der Koksasche, des Staubes und Urins stärker, gleichzeitig gewahrte e r beim Ausgang zum HIER den kleinen gedeckten Tisch zwischen den beiden in Bierflaschen steckenden Kerzen. E r versuchte noch, die Ausgangstür zu schließen, aber als e r sah, daß die obere Scheibe fehlte, gab e r es auf, setzte sich, als habe e r es nicht anders erwartet und klopfte mit dem Messer gegen den Teller, um sich in der Küche bemerkbar zu machen.